Substances vitales

Bé Mäder

Substances vitales

vitamines, sels minéraux, enzymes,
oligo-éléments

VIRIDIS

L'auteur

Bé Mäder est titulaire d'un diplôme fédéral de droguiste en Suisse. Depuis plus de 20 ans, elle conseille sa thérapie en substances vitales à des personnes qui viennent la consulter pour différents symptômes. Dans son propre centre de formation, elle organise des séminaires et cours et y transmet son savoir à des thérapeutes en substances vitales, naturopathes, pharmaciens et droguistes.

En Suisse, les préparations *allsan* sont distribuées par Biomed AG à Dübendorf.
Biomed AG ne prend aucune responsabilité quant aux indications mentionnées dans ce livre.

case postae 309 CH-2800 Delémont

Couverture: Dora Eichenberger-Hirter, Birrwil
Conception: Urs Müller AG, Werbeagentur, Aarau
Dessins pages 48 et 56: M. Kirker, Zürich
Illustrations vitamines: Roche Pharma, Basel
Composition, digitalisation: Kneuss Print AG, Lenzburg
Traduction de l'allemand: Philippe Rebetez, Delémont
Correctrice: Jacqueline Strahm, Delémont
Production: Neue Stalling GmbH D-Oldenburg

ISBN 2-9700192-7-2
Printed in Germany

La version originale de ce livre a été publiée sous le titre Bé Mäder,
allsan-Kompendium Vitalstoffe, Midena & FONA Verlag GmbH, Aarau/Küttigen
ISBN 3-907108-29-9

Sommaire

Sels minéraux et oligo-éléments

Abréviations utilisées

CC = cuiller à café
CS = cuiller à soupe
TM = teinture-mère
dl = décilitre

Préface

En ce qui concerne la santé, notre apparence et notre potentiel d'efforts, nous attendons toujours davantage. Nous voulons être en forme, rayonner de santé, avoir bonne allure et un «look» jeune le plus longtemps possible. Nous sommes conscients que la beauté n'est pas uniquement un don de Dieu, mais qu'elle dépend aussi de notre conduite et de l'hygiène de vie. Aujourd'hui, tout le monde peut se procurer les informations nécessaires quant à une santé solide et le bien-être psychique.

Tant que l'homme vivait en harmonie étroite avec la nature et que la population se recrutait en majeure partie dans les milieux ruraux et dans la campagne, une relation étroite et instinctive avec la nourriture intacte existait encore. Sans avoir de connaissances sur les vitamines, sels minéraux et oligo-éléments, les gens savaient quelles herbes, quels fruits et quels légumes

devaient être cueillis à quel moment pour obtenir la guérison d'une maladie. Des analyses coûteuses et un savoir rationnel leur étaient étrangers. On se fiait aux traditions ancestrales et ce savoir fut respecté et transmis aux jeunes générations pendant des millénaires. Certains secrets profonds relatifs à la santé étaient probablement connus uniquement de ceux qui s'étaient penchés sur la matière. Aujourd'hui, les méthodes de travail ont changé. Le temps de travail est moins long, mais on exige de nous une productivité toujours supérieure. Ce qui demande de plus en plus de concentration. Le corps ressent du stress à la suite d'une mise à contribution sans cesse croissante. Un peu de stress peut être salutaire et avoir l'effet d'une douche froide pour l'organisme. Mais à la longue, un stress continu est néfaste pour notre santé et notre bien-être. De nos jours, trop de gens souffrent de trop de stress. Nos activités sportives et nos loisirs, aussi, sont accompagnés de poussées continuelles d'hormones stressantes. En conclusion, on peut dire:

- le travail intellectuel demande davantage de substances vitales et moins de calories;
- le stress exige davantage de substances vitales;
- l'idéal de beauté moderne et une silhouette fine demandent une réduction de l'apport calorique, ce qui se répercute négativement sur l'apport en substances vitales.

Avec le train de vie moderne, actuel, le fossé entre besoins en substances vitales et
la diminution de l'apport calorique s'élargit toujours plus. Pour le bien de sa santé et le bien-être, chacun est donc responsable afin d'éviter ce déficit. Nous savons que manger et boire maintiennent l'unité entre esprit et corps. Cette vieille connaissance ne devrait pas se perdre dans la vie moderne. On peut sans autre mettre son corps à contribution, à condition de lui procurer le soutien nécessaire. Ce livre vous apporte les informations essentielles à ce sujet.

L'alimentation

La théorie alimentaire

Lavoisier (1743-1794) est considéré comme le fondateur de la chimie moderne. Avant lui, elle était surtout exercée par les alchimistes qui essayaient avant tout de produire de l'or à partir du plomb. Lavoisier créa des concepts de base sur lesquels ses successeurs chimistes pouvaient construire leurs recherches. La recherche sur l'homme et son environnement prit un essor considérable. Grâce aux recherches de Lavoisier, la science de l'alimentation a pu se développer. Au début du 19e siècle, l'université de Genève donna une chaire de chimie à Justus von Liebig. Il fut le premier à reconnaître l'importance des réactions chimiques dans l'organisme humain. Il en conclut que les mouvements et l'activité, deux caractéristiques majeures de la vie, résultaient de la concordance entre oxygène, aliments et les différents organes.

Von Liebig créa les bases de la nouvelle science du métabolisme. Les aliments ingérés sont transformés par le processus digestif de façon à pouvoir être utilisés par l'organisme. Les substances nutritives rendent possibles les fonctions telles le mouvement, la production de chaleur, la procréation, mais aussi l'élimination d'éléments nutritifs superflus. Ainsi que ceux résultant du métabolisme et qui n'ont plus d'intérêt pour le corps (définition selon le Dr. G. Schuitenmaker).

Von Liebig fut le premier à diviser les aliments en trois catégories:

- aliments riches en hydrates de carbone (production d'énergie),
- aliments riches en azote (protéines pour la croissance et le mouvement),
- substances minérales (vitales pour la constitution du corps, p. ex. les os, les dents).

Von Liebig fut le promoteur de la viande en tant que principal fournisseur de protéines. Son travail de «pionnier» exerce son effet de nos jours encore. A cette époque, on ne connaissait pas encore les vitamines. A Munich, le professeur Carl von Voit, disciple de von Liebig, découvrit qu'il était possible de calculer la teneur en énergie des aliments, ainsi que les besoins en énergie du corps humain. Il subdivisa les aliments en trois catégories:

- hydrates de carbone
- protéines
- graisses

Carl von Voit est le créateur du système de calcul des calories utilisé de nos jours. A cette époque, la qualité des aliments était définie par le nombre de calories qu'ils fournissaient. Il en résulta que le pain blanc était de valeur supérieure au pain complet. Dans le monde entier, on se mit à raffiner les céréales afin d'en augmenter la proportion en calories fournies. Ces critères de qualité erronés sont coresponsables de la découverte tardive de l'importance des éléments vitaux.

L'alimentation moderne

Aujourd'hui, les connaissances sur les divers éléments nutritifs sont déjà très larges et bien fondées. On connaît les besoins de chaque organisme. En revanche, on ignore encore la quantité d'éléments nutritifs que l'organisme utilise réellement. Une chose est certaine: la quantité varie d'un individu à l'autre. Elle dépend notamment des facteurs suivants:

- l'activité corporelle: exige davantage de calories en parallèle avec les besoins en substances vitales;

- activité intellectuelle: exige moins de calories;
- mise à l'épreuve psychique: souvent besoins caloriques variables et besoins en substances vitales très élevés;
- attitude: souvent, le bien-être n'est perçu qu'à travers un corps svelte;
- propriétés du métabolisme: tous les individus n'ont pas les mêmes besoins de chaque substance nutritive;
- environnement, situation d'habitat, air, eau, zone climatique etc.;
- qualité des aliments (méthodes de production);

Il convient de découvrir ses particularités, également celles de son métabolisme. Ce livre vous en fournit les bases nécessaires. La découverte des besoins de son corps est aussi un processus de prise de conscience. Il complète l'instinct inné et l'envie de certains aliments. Pour le corps, manger signifie toujours plaisir et satisfaction d'un besoin. La digestion se fait dans le ventre et non pas dans la tête. Si la digestion et le métabolisme sont en ordre, l'instinct et le plaisir de manger le sont également. Chaque personne qui souhaite découvrir son corps devrait tenir compte de ces deux éléments importants: la biochimie de l'organisme garantit le bon fonctionnement du métabolisme, alors que les éléments nutritifs sont les éléments constitutifs.

L'alimentation inadaptée

En cas d'alimentation inadaptée, déséquilibrée et de forte mise à l'épreuve simultanée, la biochimie de l'organisme est déséquilibrée et des signes de carence apparaissent.

Un fait intéressant: avec 1500 calories, l'apport en substances vitales est insuffisant. Par une alimentation pauvre en calories, l'organisme est malheureusement automatiquement sous-alimenté en substances vitales. Avec notre train de vie moderne, en pleine accélération, souvent marqué par un accroissement du travail intellectuel, du stress, avec ses conflits psychiques et une alimentation «sur le pouce», les besoins en substances vitales n'ont pas diminué, mais plutôt augmenté. Il s'ensuit un déficit en substances vitales qui doit absolument être compensé. Les corps mal nourris et déficients nous parlent. Il convient d'apprendre ce langage. Une fringale incontrôlable en est une des expressions les plus fréquentes. Toute personne qui se soumet à un régime la connaît. Les besoins réels de l'organisme ne peuvent pas être contrôlés par l'intellect. Alors que l'on a de plus en plus de publications sur les modes et méthodes alimentaires, de plus en plus de médecins se voient confrontés à des maladies qui, dans le temps, n'étaient pas ou peu connues et surtout pas chez les personnes jeunes. Citons comme exemple l'arthrose, l'hernie discale, les rhumatismes, la sclérodermie. En plus, l'organisme est affaibli par des produits préfabriqués ou précuits.

- Conserves: pour la conservation, les aliments sont cuits, pasteurisés, homogénéisés, upérisés, etc.
- Produits prêts à l'usage: ils subissent généralement plusieurs processus de fabrication et perdent des substances vitales lors de chaque opération.
- Aliments dénaturés: les farines blanches, le sucre raffiné, le riz mondé et prétraité, etc., en font partie. Pour ces aliments, toutes les substances vitales telles enzymes, vitamines, substances minérales que la nature y apporte, sont éliminées systématiquement. Il en résulte des aliments ne contenant plus que des calories exemptes de toutes les substances vitales.

Les aliments préfabriqués ou précuits nuisent encore d'une autre manière à notre organisme. Il s'agit des additifs chimiques tels modificateurs d'aspect, solidifiants, stabilisateurs, agents conservateurs, arômes, colorants, émulsifiants, antioxydants, excipients, etc. On dénombre actuellement quelques 1000 additifs alimentaires dont 428 sont scientifiquement considérés comme inoffensifs. Observez donc un certain temps combien d'aliments contiennent divers additifs.

Afin de dégrader (détoxiquer) ces additifs, l'organisme utilise davantage de substances vitales. Souvent, le système immunitaire n'est plus capable de faire face à ces attaques. Dans bon nombre de cas, il réagit par des allergies. En ingérant constamment des additifs, on met l'organisme à forte contribution. Lentement, mais régulièrement, la vitalité en souffre, la force vitale est affaiblie. Il existe un grand nombre de personnes qui, malgré une attestation de bonne santé par leur médecin, ne se sentent qu'à moitie en bonne santé. Ceci est une conséquence directe de notre alimentation pauvre en substances vitales. Ce sont:

- les personnes sans envie, avec attitude pessimiste;
- les personnes apathiques, sans entrain, dépressives;
- les personnes souffrant d'insomnies, irritées, hypersensibles, qui «craquent» à tout moment;
- les personnes qui ne s'en sortent plus à divers niveaux dans leur vie;
- les enfants ayant des difficultés scolaires;
- les personnes qui ne se sentent pas bien dans leur peau.

Pour toutes ces personnes, un manque de substances vitales est à la base. Car ces dernières sont des fournisseurs d'énergie. Souvent, la mise à contribution personnelle est encore aggravée par des conditions travail ne respectant pas les besoins individuels (lumière, aération, installations, etc.).

L'harmonie du corps

A l'instar d'un arbre, l'homme fait partie de la nature. L'image des arbres peut bien être appliquée à l'homme. Un épicéa n'a pas besoin du même environnement et de la même nourriture que le chêne ou le noisetier. Il en va de même pour l'homme. Le métabolisme humain est volontiers et trop facilement schématisé. Et ce schéma unique devrait alors s'appliquer à tous les hommes. Il est important de connaître les particularités du corps et de respecter les prédispositions (héréditaires). Si l'on voit l'organisme sous l'angle d'un état formé de cellules, il aspire, comme tout état, à l'ordre et à la paix intérieure. Il n'aime pas le chômage, pas les profiteurs. Il désire garantir une prospérité à toutes les cellules, à l'abri des ennemis et des obstacles. Une alimentation optimale, dans le sens d'un approvisionnement complet, veille à cet ordre et à la paix intérieure. Même si ceci n'est basé que sur des expériences solides mais non encore définitivement prouvées. Cette alimentation permet un déroulement optimal des fonctions du corps et est responsable des cellules individuelles, afin que chacune d'entre elles reçoive son travail et soit satisfaite de la tâche qui lui est attribuée au sein de l'ensemble. La plupart des gens se laissent entraîner par l'agitation quotidienne. Ils ont perdu l'habitude d'écouter les messages de leur corps. Ils ne savent plus ce qui lui procure du bien et ce que signifie équilibre harmonieux entre le corps et l'âme. Il est important de respecter les besoins et les manifestations d'appétit de l'organisme. L'appétit est un bon indicateur quant à ses besoins et ses manques. Afin de bien comprendre le langage du corps, il est nécessaire de bien connaître l'effet des aliments et ce qui concerne les carences possibles.

Les protéines

Fonction des protéines

Les protéines sont un élément nutritif essentiel. Elles doivent toujours figurer en quantité suffisante dans la nourriture quotidienne afin que le corps reste en bonne santé. Les protéines sont composées d'acides aminés dont certains sont vitaux. Si l'un d'entre eux arrive à manquer dans la nourriture quotidienne, on tombe malade. De ce fait, tous les aliments riches en protéines ne sont pas de même valeur. Les végétariens doivent en tenir compte dans leur alimentation.

- Les protéines servent à remplacer toutes les cellules qui ne sont plus capables de survivre.
- Les protéines participent à l'élaboration de la structure de toutes les cellules.
- Les protéines sont nécessaires à la formation d'enzymes, d'hormones et de substances immunitaires.
- Les protéines participent à la régulation du métabolisme.
- Les protéines participent à la stabilisation des sucres dans le sang.
- Les protéines exercent une fonction de support. Elles peuvent momentanément incorporer certaines substances vitales afin de permettre leur transport dans le sang jusqu'à l'endroit souhaité.
- Les protéines sont importantes pour la régulation des protéines du sang, p. ex. pour les albumines. Sans cette substance, le corps ne peut plus éliminer l'eau.
- Les protéines produisent des cheveux solides et sains, une peau ferme et une ligne svelte (élimination de l'eau).

Protéines végétales

Légumineuses: pois, pois mangetout, pois jaunes, lentilles, toutes les variétés de haricots, fèves de soja, produits à base de soja.

Céréales: blé, riz, millet, maïs, épeautre.
Pommes de terre.

Combinaisons idéales assurant au corps l'apport des acides aminés vitaux:
- pommes de terre combinées avec l'œuf (6 petites pommes de terre et 1 œuf)
- pommes de terre combinées avec du lait
- maïs combiné avec des fèves
- riz, millet, blé, en combinaison avec des pois, des pois chiches ou jaunes, des haricots.

Ne doivent pas être combinées à d'autres protéines:
- Noix, noisettes, amandes, noix de pecan, etc.
- graines de tournesol, graines de courge, etc.
- graines de pavot et de sésame

Protéines animales

- toutes les viandes
- tous les poissons
- fruits de mer
- lait (de vache, de chèvre, etc.)
- produits laitiers (yoghourt, fromage, kéfir, séré, fromage blanc)
- œufs

Besoins quotidiens en protéines

Quantité minimale évitant des maladies
0,4 g par kg de poids corporel prévu

avec marge de sécurité
0,6 g par kg de poids corporel prévu

en cas de forte activité corporelle
0,8 g par kg de poids corporel prévu

sport de pointe
1 à 1,2 g par kg de poids prévu

grossesse et période d'allaitement
1,2 g par kg de poids prévu

Manque de protéines et ses conséquences

- En général: fatigue constante, apparence épuisée, résistance insuffisante, manque de sang, sujet à des infections, hypoglycémie, hypotension artérielle; le corps produit trop peu d'enzymes
- Musculature: muscles mous et flasques. Tout semble pendre (dos courbé, poitrine pendante), ce qui conduit à une mauvaise tenue corporelle. Les pieds prennent une forme courbée, la démarche est désordonnée, les pieds s'affaissent (pieds plats)
- Peau: mince, formation de plis, manque d'élasticité. Perte de la tension superficielle de la peau et vieillissement prématuré. La peau prend un aspect tanné et rigide. On constate p. ex. la formation de plis à l'intérieur des cuisses et du creux du coude
- Cheveux: mauvaise croissance, cheveux hirsutes, ne se laissant pas coiffer; fourches
- Région des yeux: poches sous les yeux
- Ongles: cassants et fendus
- Organes: les organes internes s'affaissent à la suite du relâchement musculaire
- Corps: aspect gonflé

Contrôle

Comment vérifier si l'on manque de protéines? Lorsque l'on répond par l'affirmative à 3 à 5 carences, l'organisme manque d'un apport en protéines. Si le contrôle de l'alimentation démontre un apport suffisant en protéines, on peut être en présence d'une mauvaise élaboration des protéines. Dans ces cas, on se plaint, à la suite d'un repas de protéines, d'une sensation de lourdeur dans l'estomac ou de légère nausée. On présente souvent, en outre, une aversion vis-à-vis des aliments protidiques et l'on souffre de renvois nauséabonds.
Certains métabolismes ont plus de peine à digérer les protéines animales que végétales.

Excès de protéines / mauvaises protéines et les conséquences

Excès de protéines du lait: (tous les fromages, yoghourt, séré/fromage blanc, lait, boissons au lait, poudre de lait écrémé (contenue dans beaucoup d'aliments composés dont il convient de lire attentivement la composition).

- Articulations: tuméfaction des articulations des doigts
- digestion: constipation
- poids corporel: le haut du corps grossit, les parties du cou et du menton grossissent
- en général: maux de tête
- allergies: des réactions allergiques sous forme d'asthme et de mucus dans les bronches sont possibles.

Trop de viande: Font surtout partie de ce groupe les personnes souffrant de rhumatismes, d'arthrite et d'allergies. Afin que la viande puisse bien être digérée, les sucs digestifs doivent être de bonne qualité.

- Poids corporel: embonpoint surtout au ventre et aux fesses
- visage: développement de profonds cernes sous les yeux
- corps: formation de dépôts
- douleurs: les rhumatisants et les personnes allergiques ressentent des douleurs plus vives
- personnes allergiques: encore plus sujettes à d'autres allergies.

Protéines végétales
Les noix peuvent provoquer des allergies ou favoriser les virus d'aphtes et d'herpès.

Tableau des protéines à la page 163.

Les graisses (lipides)

Fonction des graisses

- Fonction de dépôt et de réserve. L'organisme a besoin des graisses pour former des substances de dépôt et de réserve. La réserve est en même temps le tissu protecteur des organes (reins et intestin). L'organisme transforme toutes les calories superflues en graisse de dépôt et les dépose dans les tissus sous la peau. Un beau corps, bien formé, a besoin d'une couche de 5 à 15 mm de graisse; autrement, il prend l'aspect d'une structure fragile. Cette couche de graisse sert également d'isolation contre le froid.
- Production de chaleur.
- Formation d'hormones. Le corps se sert des acides gras des graisses végétales pour la production hormonale; pour plus de détails à ce sujet, consulter le chapitre des vitamines.
- Fournisseur d'énergie. 1 g de graisse fournit 9 kcal, le double des protéines et des hydrates de carbone. L'homme aime consommer des aliments gras par temps froid surtout.
- Moyen de transport. Dans le métabolisme, les graisses transportent des substances telles les vitamines, les carotènes et les stéroïdes.
- Fonction anabolique. Fonction importante comme pour les protéines. A cet effet, les protéines et les graisses se combinent pour former les lipoprotéines comme p. ex. le cholestérol. Elles sont importantes pour la structure cellulaire et les nerfs. Les phospholipides font partie d'un autre groupe; ils se retrouvent dans le cerveau et les nerfs. La lécithine en est le représentant le plus connu en alimentation.
- Fonction biliaire. Les graisses saturées sont importantes pour la stimulation de la production de bile.

Les différentes graisses

Nous faisons une distinction entre les graisses végétales et les graisses animales. Les graisses sont aussi classées en acides gras saturés, non saturés et polyinsaturés. Les acides gras non saturés sont indispensables (anciennement vitamine F). Pour un bon fonctionnement, l'organisme a besoin de tous les groupes de lipides.

Graisses animales
- Suif
- saindoux
- beurre
- crème
- lécithine de jaune d'œuf

Graisses végétales
- toutes les graisses d'origine végétale, p. ex. graisse de coco, beurre de cacao
- toutes les huiles d'origine végétale, p. ex. huile d'olive, de carthame, de tournesol de soja, de germes de maïs, de germes de blé, etc.
- lécithine de soja

Les besoins en lipides

Les besoins quotidiens dépendent essentiellement du genre de travail physique. Le travail de bureau, p. ex., est un travail corporel léger, alors qu'un bûcheron, un agriculteur ou un ouvrier dans l'industrie lourde, fournissent un grand travail corporel.

Besoins pour travail léger
40 à 60 g par jour

besoins pour travail lourd
50 à 100 g par jour

Valeurs directives
adultes
1 g par kg de poids corporel prévu

personnes âgées
0,8 g par kg de poids corporel prévu

enfants selon l'âge
1,5 à 1,8 g par kg de poids corporel prévu

Malheureusement, bien des gens font une absorption beaucoup trop élevée en graisse. D'une part, les graisses affinent le goût des aliments, d'autre part, la plupart des aliments prêts à l'emploi contiennent une bonne partie de graisses en tant qu'excipient (augmentation du poids). Pour les graisses, il convient également de faire une différence entre les graisses faisant normalement partie de l'aliment et celles que l'on ajoute.

Quels corps gras pour quel usage?

- Pour tartiner le pain: beurre ou margarine diététique. Conseil: ne pas utiliser de produits «light». Ils contiennent trop d'additifs. Il vaut mieux réduire sa consommation de graisses.
- Huiles à salade: utiliser uniquement des huiles pressées à froid (riches en acides gras non saturés). Elles doivent porter la mention «pression à froid». Des mentions telles «de haute valeur biologique» ne sont pas un critère qualitatif. «Pression à froid» est un terme protégé et reconnu dans le monde entier. Utiliser ces huiles pour la salade uniquement.
- Pour étuver: huile d'olive, huile de tournesol, huile d'arachide, beurre.
- Pour frire: graisse de coco, huile d'olive ou d'arachide.

On peut préparer un **mélange d'huile sain se** conservant jusqu'à une semaine:

- 1 partie d'huile d'olive (contient de l'acide oléique, important pour le taux de cholestérol et le flux biliaire)
- 1 partie d'huile de carthame ou de tournesol (contient de l'acide linoléique, un élément nutritif vital)
- 1 partie d'huile de lin (contient l'acide α-linolénique important pour la production d'hormones de tissu).

Important:
ne pas conserver ce mélange au réfrigérateur à cause de l'huile d'olive, mais absolument conserver l'huile de lin entamée au réfrigérateur (rancit rapidement).

- Pour étuver: huile d'olive, huile de tournesol, huile d'arachide, beurre.
- Pour frire: graisse de coco, huile d'olive ou d'arachide.

Littérature: Bänziger E.: L'olive - cuisine et santé, éd. VIRIDIS (1998)

Les graisses néfastes

- Beurre brun ou noir. Les parties protidiques du beurre sont carbonisées par la chaleur et nuisent au foie. Toujours mélanger le beurre aux aliments déjà cuits.
- Graisses surchauffées ou trop vieilles. On n'est jamais assez prudent à ce sujet. Toute graisse légèrement rance ou souvent réchauffée (graisse de friture), met notre foie à contribution et en détruit quelques cellules à chaque fois. Pour vous en protéger, il s'agit d'exercer votre odorat. Lorsque vous repérez une odeur de graisse surchauffée, abstenez-vous de prendre un repas chaud.
- Graisses minérales. L'huile de vaseline et surtout la paraffine ne conviennent pas en tant qu'huiles alimentaires. De temps en temps, elles sont encore conseillées dans

des régimes pour maigrir, ou comme laxatifs. Notre organisme ne pouvant pas résorber les graisses minérales, elles lient les vitamines liposolubles et les empêchent d'exercer leur effet.

Manque de graisses dans l'alimentation

Dans ce cas, l'organisme réagit surtout avec une peau très sèche et des cheveux ternes. Les personnes consommant peu de graisses sont souvent nerveusement tendues. Comme la graisse fait défaut dans la nourriture, la production biliaire est souvent insuffisante. Le poids corporel de ces personnes est souvent insuffisant. Veuillez consulter le chapitre des vitamines à ce sujet. Si les acides gras essentiels arrivent à manquer, des séquelles peuvent en résulter.

Trop de graisses dans l'alimentation

L'augmentation du poids corporel est une réaction normale et saine vis-à-vis d'un apport excédentaire en graisses. En revanche, l'augmentation du taux sanguin du cholestérol et des triglycérides n'est pas saine.

Incompatibilité aux graisses

– Huile d'olive: certaines personnes réagissent avec de la diarrhée.
– Graisse du lait: peut provoquer une acné grave le long des vaisseaux lymphatiques. Cette acné est grave le long du cou et sous le menton. Pour le processus de digestion, la graisse du lait n'a pas besoin de bile. Si le pancréas a des difficultés à produire l'enzyme lipase, les lipides du lait parviennent dans la lymphe sans être suffisamment dégradés. Ils produisent alors des pustules le long des vaisseaux et des ganglions lymphatiques. La graisse du lait peut également provoquer des réactions allergiques telles l'asthme et des mucosités dans les bronches. En cas d'incompatibilité, éviter toute graisse de lait.

Déconseillés
– beurre
– crème et crème partiellement écrémée
– lait entier
– yoghourt de lait entier
– séré à la crème/fromage blanc
– glaces à la crème

Permis
– margarine diététique végétale sans adjonction de beurre
– lait maigre ou lait d'amande
– yoghourt au lait écrémé
– séré maigre/blanc battu
– sorbets aux fruits

Les taches de vieillesse et les taches brunes sur la peau peuvent également être un indice qu'une des graisses consommées n'est pas entièrement dégradée par l'organisme. Citons comme exemples de sources: mascarpone, anguille fumée, cerneaux grillés. Chacun doit être son propre détective. Pour les produits préfabriqués, toujours consulter la liste des constituants.

Les hydrates de carbone

Fonction des hydrates de carbone

Les hydrates de carbone font partie des substances nutritives principales. Ils sont formés dans les plantes et en forment partiellement leur structure (cellulose) ou servent de réserve pour les germes (amidon). Les hydrates de carbone sont tombés en discrédit parce qu'ils font grossir ou que les pommes de terre provoquent des maux de tête. Il est pourtant prouvé que ce sont les graisses et non les hydrates de carbone qui font grossir. En cas d'absorption insuffisante d'hydrates de carbone, le foie, sous l'influence d'une enzyme, peut transformer des protéines en hydrates de carbone. Ainsi, l'organisme est privé des protéines nécessaires à d'autres fonctions importantes. Une réaction peu souhaitable. Les besoins quotidiens en hydrates de carbone sont de 6 à 8 g par kg de poids corporel.

Sources d'énergie
Dégradés en sucre de raisin, les hydrates de carbone sont utilisés par pratiquement toutes les cellules. Les cellules du cerveau, les globules rouges et la moelle des reins dépendent du sucre de raisin en tant que fournisseur d'énergie. Les hydrates de carbone peuvent éviter la formation de cétose (régimes sans hydrates de carbone) et préviennent ainsi des dégâts métaboliques.

- Amidon de réserve: l'amidon (céréales, pommes de terre) sert à la production d'amidon de réserve du corps, le glycogène. Un adulte stocke environ 100 à 110 g de glycogène dans le foie et environ 205 g dans la musculature.
- Mécanismes de défense: des mucopolysaccharides exercent une fonction dans les mécanismes de défense immunitaire de l'organisme.
- Effet protecteur: des polysaccharides, proches de la substance des ongles et des cheveux, se retrouvent dans les substances de base organiques des os et du tissu conjonctif; ils exercent une fonction protectrice.
- Métabolisme électrolytique et de l'eau: les hydrates de carbone maintiennent le fonctionnement du métabolisme de l'eau et des électrolytes, même si l'absorption d'hydrates de carbones est faible.
- Combustion: les hydrates de carbone stimulent la combustion et, pour l'organisme, c'est la source d'énergie la plus facile à utiliser. Lorsque les hydrates de carbones manquent dans l'alimentation, le potentiel de combustion de l'organisme est réduit et le potentiel diminue.

Hydrates de carbone naturels

- fruits
- légumes
- légumineuses
- céréales intégrales
- pommes de terre
- topinambours

Hydrates de carbone dénaturés

- farine blanche, bise etc.
- sucre raffiné
- douceurs
- conserves

Hydrates de carbone concentrés naturels

- miel
- concentré de poires
- sirop d'érable
- panela (sucre de canne complet)
- malt

Hydrates de carbone concentrés dénaturés

– sucre
– sucre de raisin
– sucre de fruits
– sucre de lait

Hydrates de carbone naturels – céréales intégrales

Constituants: amidon, toutes les vitamines et sels minéraux, fibres alimentaires, protéines (gluten)

Positif
- bon pouvoir de rassasiement grâce à une combustion lente
- bon apport en vitamines et en sels minéraux
- digestion favorisée
- élimine la constipation
- nombre réduit de calories

Négatif
- possibilité de modification de la digestion au passage à l'alimentation aux céréales intégrales. Dans ces cas, ne pas combiner les céréales intégrales à du sucre et des protéines animales. Peu de temps après, la digestion se normalisera.

Compatibilité des différentes céréales
bonne: riz, millet, avoine, blé vert, maïs
moyenne: épeautre, boulgour (blé précuit), céréales thermisées
difficile: seigle, blé dur, blé

Incompatibilité aux céréales
A la suite d'une déficience enzymatique, certaines personnes digèrent très mal les céréales. Après un repas à base de céréales, les selles du lendemain sont de couleur claire. De cette façon, le corps démontre sa difficulté. Les personnes ayant cette réaction accumulent les bourrelets de graisse dans la région du ventre. Leur taille s'épaissit, les jambes restent sveltes et, même vues de dos, ces personnes ont une apparence svelte. Toute personne souffrant de ce phénomène devrait remplacer les céréales par des légumineuses, dont les hydrates de carbone sont plus facilement digérés.

Hydrates de carbone concentrés

(édulcorants naturels)

Miel
Constituants: sucre de fruit et de raisin, les substances minérales calcium, magnésium, acide silicique, combinaisons phosphatées, les oligo-éléments cuivre, cobalt, zinc et molybdène, en quantités minimes des acides aminés et des vitamines. Les inhibines sont également un constituant important. Elles empêchent le développement de bactéries. Comme ces substances ne restent actives qu'en cas de traitement prudent, on ne devra jamais chauffer le miel. Le miel est l'édulcorant par excellence. Mais, comme tous les édulcorants, il devrait être utilisé avec parcimonie, car il reste un hydrates de carbone concentré.

Concentré de poires
Constituants: contient les mêmes substances et l'arôme concentré de la poire.

Le dosage du sucre
Les édulcorants concentrés, les sucres naturels y compris, sont en grande partie brûlés par l'organisme. Si l'effort physique correspondant manque, le corps en produit des réserves sous forme de glycogène (amidon de réserve) et de graisse. On devrait se servir des sucres comme des épices et les consommer surtout après des efforts physiques ou psy-

chiques (et non jamais pendant l'effort). De fortes envies de douceurs sont souvent l'indice d'un manque d'autres substances nutritives: manque de protéines, de magnésium ou de vitamine C. Comblez d'abord le déficit et luttez ensuite contre les envies.

Sucre de raisin (glucose)
Dans la nature, on trouve le sucre de raisin dans les raisins et les fruits. Aujourd'hui, il est produit industriellement à partir du sucre blanc. Son pouvoir édulcorant est faible. Comme il parvient directement dans le sang, sans transformation métabolique, il est apprécié comme fournisseur rapide d'énergie par augmentation rapide du taux de sucre dans le sang. Mais un organisme sain réagit tout aussi vite: il déverse de l'insuline et normalise ainsi le taux de glycémie. Les personnes diabétiques ne doivent pas consommer de sucre de raisin. Les personnes en bonne santé également devraient se restreindre dans son usage, car il ne fournit pas de substances vitales.

Sucre de fruit (fructose)
Il est naturellement contenu dans les fruits doux et le miel. Il est également produit industriellement à partir de sucre blanc. Son pouvoir édulcorant est élevé et il ne met pas notre métabolisme à contribution. Il parvient rapidement dans notre sang, est résorbé par le foie qui le transforme immédiatement en glycogène (sucre de réserve du foie). De ce fait, la production d'insuline n'est pas touchée et le sucre ne peut pas être stocké dans les dépôts de graisse. Les personnes diabétiques peuvent utiliser un peu de sucre de fruits. Le fructose peut remplacer le sucre blanc et met moins à contribution notre organisme. Si l'on veut changer ses habitudes et consommer moins de sucre, il est un moyen auxiliaire pratique.

Sucre blanc, raffiné (saccharose)
Il est un sucre double (disaccharide) composé de glucose et de fructose. Il est le pire prédateur de substances vitales. Il ne fournit que des calories. Afin de le décomposer en éléments de base, notre organisme a besoin de substances vitales. Chaque fois que nous consommons du sucre raffiné, sous n'importe quelle forme, nous produisons un déficit en substances vitales dans notre organisme en le digérant. Si nous ne compensons pas ce manque, la consommation continuelle de sucre raffiné peut produire une surcharge corporelle, de la carie dentaire, de l'artériosclérose, une croissance accélérée chez les enfants, de l'ostéoporose (manque de substance osseuse) et du diabète.

Sucre de lait (lactose)
Ce disaccharide contenu dans le lait est composé de galactose et de lactose. Il sert avant tout à la stimulation de la digestion. Il ne comprend pas de substances vitales. Aujourd'hui, il est produit de manière industrielle à partir de lait.

Incompatibilité au sucre de lait
En cas d'incompatibilité, les produits laitiers frais ne sont pas supportés. Il en résulte des ballonnements et des diarrhées.

Sucre de malt (maltose)
Ce disaccharide est formé de deux molécules de glucose. Dans le temps très prisé en tant que fortifiant, il a perdu de son importance aujourd'hui.

Sucre inverti
Il s'agit d'un mélange à parts égales de d-glucose et de l-fructose. Il est produit industriellement à partir de sucre de canne. Le sucre inverti est le principal constituant du miel synthétique et il est utilisé dans la production d'aliments pour bébés.

Fibres alimentaires

Fibres alimentaires – intestin sain

Les substances de ballast sont des parties végétales de notre alimentation. L'homme ne possède pas les enzymes nécessaires à leur digestion. De ce fait, elles traversent le tube digestif sans modification et ne peuvent pas servir en tant que source d'énergie. En revanche, elles ont la faculté de fixer des acides biliaires et de protéger ainsi la muqueuse de la paroi du gros intestin. Les constituants du ballast alimentaire sont capables de fixer de l'eau. Ainsi, les selles deviennent plus volumineuses et traversent mieux les différentes étapes de l'intestin. Les fibres alimentaires favorisent le fonctionnement normal de l'intestin. Un manque de ballast provoque de la constipation, des maladies des diverticules et des troubles fonctionnels de l'intestin. Une alimentation riche en fibres comprenant de grandes quantité de fruits, de légumes et de céréales intégrales, produit du volume sans trop de calories. Une alimentation pauvre en ballast est généralement riche en hydrates de carbone raffinés et de graisses. D'où de l'embonpoint, des maladies cardiaques et d'autres effets indésirables.

Légumes et fruits

Ils sont importants pour un bon approvisionnement en vitamines et en sels minéraux. En plus, les fruits et légumes contiennent les constituants végétaux secondaires tels flavonoïdes, polyphénols, caroténoïdes etc. Conseil de dosage journalier: en manger 5 portions

Incompatibilité aux fruits et légumes
En cas d'un manque d'acidité dans le suc gastrique et d'une digestion faible, les fruits et légumes crus peuvent produire des fermentations dans le tractus gastro-intestinal et provoquer de graves ballonnements et des diarrhées. Le manque d'acidité peut provenir d'un manque de vitamine B ou de sel de cuisine. Les personnes ayant une incompatibilité aux fruits et crudités ont souvent le visage rouge.

Alimentation riche en fibres alimentaires

- digestion réglée et consistance idéale des selles
- passage ralenti des substances nutritives de l'intestin vers le sang; les fibres alimentaires exercent une sorte de contrôle en dégageant les substances nutritives de manière dosée
- régulation du poids corporel

Aliments riches en fibres alimentaires

- tous les produits à base de céréales intégrales
- légumes
- salade
- fruits
- légumineuses
- guar
- pectine
- Les produits de ballast purs doivent être absorbés avec de grandes quantités de liquide (respecter le mode d'emploi) afin qu'ils ne provoquent pas une constipation.

L'eau

Pas de vie sans eau.

Elle devrait être l'élément le plus libre de substances nuisibles. Ceci n'est aujourd'hui malheureusement plus garanti du fait de l'agriculture intensive et de la forte industrialisation. La qualité des eaux reflète le comportement de l'homme vis-à-vis de son environnement.

Quantité journalière de liquide

Une personne saine devrait absorber environ $1^1/_2$ litre de liquide par jour.

- L'absence du besoin de boire résulte souvent d'un manque de sels minéraux. On ne devrait pas se forcer de boire, mais plutôt choisir une boisson à base d'électrolytes et en augmenter progressivement la quantité.
- Un manque de liquide peut provoquer de la constipation
- Si la soif augmente tout en buvant, il existe un manque de sel de cuisine.

Eau chlorée

- Chez les personnes sensibles des veines, l'eau chlorée peut favoriser l'apparition de varices.
- Les nourrissons peuvent réagir à l'eau chlorée par des eczémas. Il est préférable d'utiliser de l'eau minérale non gazeuse pour la préparation des biberons.

Eau minérale gazeuse

positif
- stimulant en cas d'activité sportive, augmente le rendement;
- stimulant de l'activité cardiaque

négatif
- une muqueuse gastrique sensible est irritée;
- peut provoquer des ballonnements

Les produits d'agrément

Les produits d'agrément ne sont pas des aliments.

Café

Le café filtre et l'expresso sont les mieux supportés. Le café ne devrait pas exercer le rôle de désaltérant. Les produits de la torréfaction sont nuisibles pour les cellules.

positif
- stimule la production de suc gastrique en cas de manque;
- si la caféine détend les vaisseaux sanguins du cerveau, l'expresso peut favoriser le sommeil;
- le café peut favoriser la concentration.

négatif
- Une muqueuse gastrique irritée ou enflammée ne tolère pas le café;
- si le foie ne peut pas dégrader les produits de la torréfaction, le café rend hyperactif et on ne peut plus dormir;
- le café ralentit le flux biliaire, des ballonnements peuvent en être la conséquence.

Thé

Le thé noir contient de la théine qui agit de la même façon que la caféine. Le thé noir faible stimule, le thé noir fort beaucoup moins.

positif
- Le thé noir fort peut calmer l'intestin en cas de diarrhée.

négatif
- Les tanins contenus dans un thé noir fort empêchent la résorption du fer.

Douceurs

Nous consommons généralement trop de douceurs. Souvent, le métabolisme ou un équilibre psychique dérangé en sont les causes.

Métabolisme
- La personne qui ressent un besoin de douceurs après un repas a une faible production biliaire. L'organisme tente de stimuler le flux biliaire par des douceurs. Un peu de doux peut être salutaire, de grandes quantités créent un blocage.
- Des envies fréquentes de douceurs peuvent être un signe d'un déficit alimentaire en protéines ou d'un manque des vitamines du groupe B, ainsi que de magnésium.
- Un foie aux fonctions perturbées demande également des douceurs et des calories.
- Sur le plan psychique, les douceurs peuvent être un succédané d'amour et d'affection.
- En cas d'hypoglycémie (manque de sucre dans le sang), on est avide de sucreries.

Chocolat

positif
- Détend et produit une sensation de bien-être.

négatif
- Stimule la production d'adrénaline, ce qui peut conduire à un comportement d'agression massive;
- favorise la décalcification des os (ostéoporose).

Alcool

L'alcool est la drogue la plus facilement accessible. On ne peut pratiquement plus s'imaginer une vie sans vin, bière, spiritueux, etc. Tout est une question de mesure: l'alcool rend la vie plus agréable ou conduit à la perte. Il n'y a rien à dire contre un verre de vin avec un bon repas ou en compagnie d'amis. Le problème devient grave si l'alcool sert à noyer les soucis et les problèmes psychiques.

positif

- en petites quantités
- stimulant, favorise le travail créatif et psychique;
- prévient les maladies cardio-vasculaires.

négatif

- en grande quantité
- effet dépressif allant jusqu'à la destruction du système nerveux;
- conduit à l'apitoiement sur soi-même, ce qui produit un nouveau besoin de consommation d'alcool; danger de dépendance.

Bière

positif

- stimule la production de lait maternel durant la période de lactation (bière sans alcool);
- favorise l'élimination d'eau;
- le houblon, comme constituant, exerce un effet calmant.

négatif

- ne convient pas aux personnes souffrant de goutte, car la bière empêche l'élimination de l'acide urique.

Vin blanc

positif

- active et donne de l'élan; on se sent stimulé;

négatif

- met à contribution le métabolisme des sels minéraux;
- peut déclencher des troubles cardiaques nerveux;
- ne convient pas dans les cas d'arthrose, d'ostéoporose et de rhumatismes.

Vin rouge

positif

- la procyanidine contenue dans le vin rouge est un capteur de radicaux

négatif

- peut déclencher des allergies;
- peut déclencher des migraines;
- ne convient pas aux personnes atteintes de goutte

Apéritifs

positif

- les extraits de plantes amères stimulent les sucs digestifs

négatif

- Teneur élevée en sucre et en alcool

Spiritueux

négatif

- Ont une teneur en alcool trop élevée; à consommer exceptionnellement seulement

L'alcool et le foie

En cas de problèmes du foie, surtout après une inflammation de cet organe, on devrait s'abstenir strictement, durant une année, de consommer de l'alcool. Un foie malade ne peut plus dégrader correctement l'alcool sans lésion. Vertiges, maux de tête, perte de conscience etc., en sont les conséquences. Conseil: en cas de consommation d'alcool, toujours consommer suffisamment d'eau, au moins autant que d'alcool. Ainsi, l'organisme supporte mieux l'alcool.

L'équilibre acido-basique

Les substances vitales sont essentielles pour tout organisme, qu'il soit humain ou animal. Des recherches scientifiques sont toujours en cours afin de déterminer quelle quantité de chaque substance est nécessaire à notre corps pour assurer son bon fonctionnement. Les comportements métaboliques individuels restent un problème majeur. Les besoins dépendent de l'activité exercée, du comportement en cas de stress, des prédispositions héréditaires etc. Les vitamines, les sels minéraux, les oligo-éléments et, partiellement les enzymes, sont des substances vitales pour le corps. En cas de troubles ou de maladies dues à un déficit de ces substances vitales, il s'agit de modifier son alimentation. Elle doit être basée sur des aliments complets en respectant les spécificités du métabolisme de l'individu. L'organisme reçoit un soutien ciblé par l'adjonction de vitamines, sels minéraux, d'oligo-éléments et d'autres substances importantes (enzymes, extraits de plantes). L'objectif reste de permettre à l'organisme de mobiliser son propre potentiel. Grâce à ces mesures, le corps retrouve son ordre intérieur. Parfois, l'organisme nécessite beaucoup de temps pour reconstituer cet ordre. Au moment où le potentiel de l'organisme commence à agir, le métabolisme dissout les dépôts et transporte des déchets vers les organes éliminatoires. Afin d'assurer la continuité de ce processus éliminatoire, le corps a besoin d'autres substances vitales pour la production d'enzymes qui effectuent ce travail. Un organisme libéré de ses déchets est mieux alimenté par les voies sanguines, ce qui améliore finalement ses fonctions.

Les substances minérales et l'équilibre acido-basique

Les substances minérales jouent un rôle important dans l'équilibre acido-basique. Le métabolisme se trouve constamment dans un équilibre instable, qui passe de la réaction acide à basique et inversement. Pour notre bien-être, cette fluctuation entre milieu basique et acide est très importante. Sans cette alternance, les enzymes ne pourraient pas exercer leur effet et l'organisme ne serait pas à même de produire de l'énergie.

Echelle

acide	pH 1–6,9
neutre	pH 7
basique	pH 7,1–14

Les valeurs pH du sang et des tissus devraient se situer entre 7,2 et 7,4, donc légèrement basique. Si l'on parle d'un organisme trop acide, on ne parle pas du pH du sang, mais du tissu conjonctif qui entoure les vaisseaux sanguins (tissu interstitiel). Si ce tissu ne peut plus exercer ce rôle de tampon, des troubles graves du métabolisme peuvent se manifester.

Des variations de pH en dessous de 7,2 et au-dessus de 7,4 sont immédiatement corrigées par l'organisme à l'aide de substances minérales.

Substances minérales acidifiantes	**contenues dans:**
– chlore	– viande, poisson, volaille
– soufre	– œufs
– phosphore, organique	– céréales

Substances minérales alcalines	**contenues dans:**
– sodium	– fruits
– calcium	– légumes
– magnésium	– lait non traité
– potassium	
– phosphore inorganique	
– manganèse et fer	

Pour la régulation de l'équilibre acido-basique, le corps utilise aussi les vitamines du groupe B (surtout B1), et les vitamines C et D.

avec équilibre acido-basique	sans équilibre acido-basique
sommeil sain et reposant	troubles du sommeil, réveils nocturnes
ganglions lymphatiques normaux	ganglions lymphatiques enflés
bonne tolérance au soleil	sensibilité au soleil
tendance faible aux inflammations	tendance aux inflammations
endurance	potentiel réduit
humeur gaie	humeur dépressive
cheveux de bonne qualité, faciles à coiffer	chute des cheveux, cheveux hirsutes
peau saine, peu de rides	peau sèche, beaucoup de rides

Les organes et l'équilibre acido-basique

Pour maintenir l'équilibre acido-basique, les organes doivent être en bonne santé et travailler normalement. Les déchets produits par les fonctions du métabolisme sont toujours acides. Leur élimination est décisive pour le bien-être de l'organisme.

Poumons
Les poumons doivent éliminer les substances volatiles telles le gaz carbonique et autres gaz. Il est donc non seulement important de bien inspirer, mais également de bien expirer.

Reins
Les reins sont responsables de l'élimination des acides difficilement solubles. En cas d'une bonne élimination rénale, l'urine est concentrée et a une odeur pure. En cas d'une mauvaise élimination, l'urine du matin est claire.

Foie
Plus les enzymes du foie travaillent, plus l'organisme aura des facilités à maintenir l'équilibre acido-basique. Une bonne production de bile est importante, c'est-à-dire que les selles doivent être de couleur brun foncé.

Intestin
En cas de constipation et de mauvaise digestion (flatulences), l'équilibre acido-basique est fortement mis à contribution, car des produits gazeux arrivent de l'intestin dans l'organisme. En cas de fonction normale, les selles sont de consistance compacte.

Peau
La peau est un organe d'élimination (transpiration). La quantité de sueur et l'endroit où l'on transpire nous renseigne sur l'activité de cet organe.

- sueurs nocturnes sur la poitrine et sur la nuque → fonction hépatique dérangée
- forte transpiration des pieds → élimination rénale perturbée
- sueurs abondantes au moindre mouvement → souvent manque de sel de cuisine
- transpiration sur le cuir chevelu → problèmes d'équilibre acido-basique

En cas de dérangement de l'équilibre acido-basique, il ne suffit pas de compléter les substances minérales manquantes par un sel basique. Il convient également de modifier son alimentation, tout en tenant compte de l'activité des organes.

Consulter aussi: Mäder B., La santé - une question d'équilibre acido-basique, Biomed Dübendorf (2000)
Bänziger E., Maigrir et guérir par l'équilibre acido-basique et l'alimentation dissociée, éd. VIRIDIS (2000)

Métaux lourds nocifs

Les substances nuisibles rendent malade

Le cadmium, l'aluminium, le mercure et le plomb font partie de ces substances toxiques. En plus, on est exposé aux oxydes de soufre et d'azote, aux insecticides, aux plastifiants comme les biphényls chlorés (PCB) et aux matières synthétiques cancérigènes tels le chlorure de polyvinyle (PVC). La liste est interminable.

En 1979 déjà, des médecins américains rendaient responsables des maladies dégénératives les multiples produits toxiques dans l'environnement. L'effet de ces toxines sur l'organisme de l'homme est, la plupart du temps, encore inconnu. Le seul moyen reste de s'en protéger par une alimentation optimale renforçant les forces de défense de l'organisme et favorisant les processus d'élimination.

substances nuisibles	provenance
hydrocarbures chlorés	eau potable, poisson, huiles d'extraction
plomb	gaz d'échappement, ateliers mécaniques
mercure	dentition (amalgame), poisson, lait
cadmium	colorants, lait, eau
médicaments	préparations pharmaceutiques
antibiotiques	viande
nitrites/nitrates	viande (conserves), légumes
benzopyrènes	viande grillée
acides gras transmutés	margarine, huiles d'extraction
acides gras saturés	aliments préfabriqués

Cadmium

Le cadmium exerce son effet en cas de déficit des vitamines C, D, B_6; de zinc, fer, manganèse, cuivre, sélénium ou calcium.

Possibilités de protection

- L'absorption de fer en combinaison avec les vitamines C et D, ainsi que de cuivre. Une absorption suffisante en sélénium et en zinc est la meilleure protection contre l'intoxication au cadmium.
- Une alimentation riche en protéines diminue l'accumulation de cadmium.
- Les reins ont besoin d'enzymes riches en zinc.

Conséquences de l'intoxication

- Lésions des surrénales et anémie.
- Le cadmium s'accumule dans les reins et le foie durant des années. Une fois déposé dans les organes, il n'est éliminé qu'en quantités minimes.
- Dans une eau peu calcaire, on retrouve davantage de cadmium que dans l'eau dure (beaucoup de calcaire).
- Le cadmium déposé dans les reins y cause des lésions et provoque de l'hypertension.
- Le cadmium déplace le zinc, bloque les enzymes et entrave la détoxication.
- Le cadmium contenu dans l'organisme entrave le métabolisme du calcium et du phosphore.

Plomb

Possibilités de protection

- Des suppléments de zinc et de fer surtout, mais également de calcium et de phosphore, empêchent une accumulation du plomb. On vient également de découvrir que des suppléments des vitamines E et C réduisent également un dépôt de plomb.

Conséquences de l'intoxication

- Une intoxication continuelle en plomb provoque de l'anémie, des lésions des reins, de la glande thyroïde et du cœur, ainsi que des dégénérescences cérébrales.
- Les enfants réagissent par de l'hyperactivité et des difficultés scolaires.
- Manque de concentration.
- Un manque d'éléments nutritifs augmente l'effet du plomb.

Aluminium

Possibilités de protection

- Le sélénium dans l'alimentation, surtout en combinaison avec la vitamine antioxydative complémentaire E, empêche tout dépôt de mercure dans l'organisme. Les deux substances minérales restent dans l'organisme; le sélénium le protège alors de toute atteinte.
- Le calcium déloge l'aluminium des tissus.

Conséquences d'une intoxication

- L'aluminium est une substance nocive très répandue. Elle joue un rôle dans beaucoup de maladies. On lui suppose une influence sur la maladie d'Alzheimer (maladie dégénérative du cortex cérébral).
- Le métabolisme du fluor et des phosphates est perturbé. Par la suite, on assiste à une perte de substances minérales dans les os avec apparition d'ostéoporose.

Mercure

Possibilités de protection

- Le sélénium dans l'alimentation, surtout en combinaison avec la vitamine antioxydative complémentaire E, empêche tout dépôt de mercure dans l'organisme. Les deux substances minérales restent dans l'organisme; le sélénium le protège alors de toute atteinte.

Conséquences d'une intoxication

- Dépressions non spécifiques, irritabilité, tremblements, vertiges et diarrhée, sont les signes généraux.
- Le métal se dépose. Il s'ensuit une dégénérescence progressive du cerveau, du foie, des reins et des intestins, ce qui conduit finalement au syndrome de Mad-Hatter, une forme de maladie psychique. Dans le temps, cette maladie sévissait surtout chez les chapeliers et les pelletiers, lesquels étaient souvent exposés au nitrate de mercure.

Acides gras transmutés

Ils se retrouvent dans la margarine, les en-cas préfabriqués, les huiles d'extraction, les noix rôties, les mets comportant des graisses réchauffées.

Possibilités de protection

- Une bonne production de bile et d'enzymes peuvent limiter les dégâts.

Conséquences

- Les acides gras non saturés peroxydés créent des lésions cellulaires et affaiblissent le système immunitaire.
- Les acides gras peroxydés et les cholestérols oxydés nuisent aux parois artérielles et favorisent l'artériosclérose.

Les enzymes

Thérapies enzymatiques

Le traitement à base d'enzymes fait partie des méthodes thérapeutiques les plus anciennes. La thérapie aux figues mentionnée dans l'Ancien Testament, au livre 2 des rois 20, verset 7, est une thérapie enzymatique. Il en va de même pour l'usage des laits végétaux ou sécrétions des nectaires des euphorbiacées ou des plantes carnivores, par exemple contre les verrues, les troubles digestifs ou les furoncles. La «thérapie aux asticots» contre les abcès, introduite par Ambroise Paré au 16e siècle, ou l'usage du suc gastrique de rapaces pour le «débridement» (élimination de débris ou de tissus malades, infectés ou morts d'une plaie), développé au 18e siècle par Jean Senebier, étaient également des traitements aux enzymes. Au 19e siècle, Theodor Schwann découvrit la première enzyme humaine: la pepsine du suc gastrique. En même temps, Louis Pasteur put prouver que toute fermentation était favorisée par un champignon de fermentation (les diverses levures) et qu'elle pouvait être interrompue par la cuisson. Pasteur supposait que la fermentation était une propriété de la vie. La recherche sur les enzymes prit son essor.

A la fin du 19e siècle, le chimiste allemand C. Eduard Buchner put prouver que ce n'étaient pas les levures qui déclenchaient la fermentation, mais une substance détruite par la cuisson. L'ancien terme de ferments fut écarté pour être remplacé par celui d'enzymes (du grec).

Les groupes d'enzymes

Les enzymes sont les véritables travailleurs du métabolisme. Selon nos connaissances scientifiques actuelles, il en existe environ 2500 différentes. Le corps humain peut donc être comparé sans exagération à une usine chimique. Une grande partie des enzymes humaines, mais également du règne végétal et animal, sont déjà scientifiquement étudiées. On les classe dans les catégories suivantes.

Hydrolases
Les enzymes de ce groupe scindent des liaisons chimiques en ajoutant ou en éliminant des molécules d'eau. Les enzymes scindant les protéines, la trypsine et la pepsine, entre autres, en font partie.

Isomérases
Elles agissent sur les liaisons à l'intérieur d'un équilibre chimique; elles modifient donc uniquement la structure de telles liaisons.

Ligases
Ces enzymes constituent de nouvelles liaisons chimiques. Elles sont encore classées selon le genre de liaisons qu'elles créent: liaisons carbone-carbone, carbone-oxygène, carbone-azote ou carbone soufre.

Desmolases
En principe, les enzymes de ce groupe ont l'effet contraire des ligases. Elles scindent donc les liaisons entre les atomes de carbone, entre carbone et oxygène, carbone et azote, carbone et soufre ou carbone et chlore.

Oxydoréductases
Ces enzymes transfèrent de l'oxygène ou de l'hydrogène d'une molécule à l'autre et produisent ainsi l'oxydation de l'une et la réduction de l'autre. Aujourd'hui, on ne considère l'oxydation pas uniquement comme adjonction d'oxygène (combustion), mais comme perte d'électrons. Tous les processus fournisseurs d'énergie dans l'organisme sont donc des oxydations. La réduction en est le contraire, soit l'adjonction d'un électron à un atome ou un groupe d'atomes.

Transférases
Contrairement aux oxydoreductases, ces enzymes ne transfèrent pas des atomes uniques, mais des groupes d'atomes d'une substance à l'autre. Toutes les enzymes connues à ce jour peuvent être rattachées à l'un de ces six groupes. Pour cette raison, ce système joue un rôle central dans la recherche moderne relative aux enzymes, en particulier lorsqu'une nouvelle enzyme est découverte et classée. Dans la thérapie enzymatique, on travaille avant tout avec les enzymes du tractus digestif.

Les enzymes de la digestion

Les enzymes déterminent la qualité des sucs digestifs. Les problèmes digestifs sont toujours le signe d'une faiblesse enzymatique, ce qui correspond à un manque de substances vitales. Il se peut aussi que les valeurs pH du tractus digestif ne soient pas correctes, ce qui rend les enzymes inefficaces.

Bouche
Les glandes salivaires produisent l'enzyme amylase. Laquelle permet une pré-digestion de l'amidon. Si l'on mâche assez longuement du pain, il prend un goût douceâtre. Dans la bouche déjà, l'organisme peut transformer de l'amidon en sucre de malt. Afin que l'enzyme puisse développer son effet, la salive doit avoir un pH de 6,3 à 7,2. Plus acide ou plus basique, la salive entrave l'effet de l'amylase. On peut mesurer le pH de la salive à l'aide d'indicateur pH sous forme de languettes (en pharmacie ou droguerie).

Salive trop acide: formation de caries. La nourriture comprend trop d'aliments producteurs d'acidité: sucreries, farine blanche, alcool, limonades, etc.

Salive trop basique: formation de tartre. Apparaît souvent en cas d'alimentation trop riche en viande ou en cas de dérangement du métabolisme minéral, ainsi qu'en cas de manque de vitamines du complexe B.

Les amylases en usage thérapeutique
On utilise des mélanges d'enzymes pour les personnes souffrant de rhumatismes, de douleurs dues aux maladies dégénératives des articulations et de la colonne vertébrale, ainsi que d'œdèmes. Egalement dans bon nombre de cas d'inflammations, p. ex. des sinus, des bronches etc.

Estomac
Dans l'éstomac débute la digestion des protéines. A cet effet, il dispose des deux enzymes cathépsine et pepsine, ainsi que de l'acide chlorhydrique. Pour un effet optimal, un pH entre 1,8 et 3,8 dans l'estomac est nécessaire. L'acide chlorhydrique agit en même temps comme désinfectant de l'estomac et anéantit toutes les bactéries sensibles à l'acidité. La digestion des amylases se poursuit dans l'estomac. Une alimentation mixte normale reste dans l'estomac durant 4 à 6 heures.

Cathepsine
Il s'agit d'une enzyme se trouvant dans les cellules des tissus capable de scinder les protéines. Elle entame la digestion avant la pepsine. Elle dégrade les cellules anciennes ou endommagées et favorise ainsi la formation de nouvelles cellules.

Pepsine
Cette enzyme qui scinde les protéines est formée dans la paroi de l'estomac. Elle sert à la digestion des protéines et ne peut exercer son effet qu'en présence d'acide chlorhydrique.

Chymosine
La chymosine est un ferment de la présure servant au fractionnement des protéines du lait. Cette enzyme est vitale pour les nourrissons. Il n'est pas possible de digérer du lait sans chymosine.

Manque de suc gastrique et d'enzymes
Dans ces cas, les aliments font l'effet une pierre dans l'estomac. Après le repas, des brûlures d'estomac et des renvois acides se manifestent. En cas de manque d'acide chlorhydrique, il s'ensuit souvent une diarrhée et l'on peut constater des restes d'origine végétale non digérés dans les selles. En cas de manque d'enzymes, une sensation de boule dans l'estomac se manifeste après consommation de viande ou de produits laitiers.

La pepsine en usage thérapeutique
Dans des préparations pharmaceutiques servant à favoriser la digestion gastrique. Elles sont parfois enrichies d'acide chlorhydrique et deviennent ainsi des désinfectants efficaces (prévention de diarrhées des voyageurs).

Attention
En cas d'inflammation de la muqueuse de l'estomac ou d'ulcères d'estomac, ces préparations enzymatiques ne doivent être utilisées que sur avis du médecin.

Duodénum
Le bol alimentaire quitte l'estomac par portions. Il est préparé pour le grand travail digestif. La muqueuse intestinale prépare l'entérokynase, une enzyme qui transforme les enzymes chymotrypsinogène et trypsinogène du pancréas en leur forme active.

Pancréas
Le pancréas fournit le travail effectif de digestion. Il est un grand fournisseur d'enzymes et nécessite donc un bon apport en éléments vitaux. Notre bien-être dépend de la qualité de nos enzymes. Chaque jour, cet organe produit jusqu'à deux litres des sucs digestifs suivants.

Amylases
Dégradation des hydrates de carbone.

Lipases
Les lipases ne développent leur effet qu'en combinaison avec la bile. Cette dernière émulsionne les graisses dans l'intestin et permet ainsi aux enzymes de les attaquer.

Manque d'enzymes (en général)
Mauvaise exploitation des aliments par le corps qui reste mince malgré un grand nombre de repas. Selles volumineuses, gaz intestinaux nauséabonds, ballonnements, diarrhée.

Manque de lipase
Il est facile à déceler, car les selles dans les W.-C., nagent à la surface de l'eau. Des selles de couleur claire indiquent un manque de bile.

Usages thérapeutiques
Les enzymes du pancréas sont surtout utilisées pour les préparations digestives dans les cas de manque d'enzymes. Elles sont également utilisées dans des préparations pour les lésions sportives (contusions, foulures, hématomes), les maladies vasculaires, pour les traitements après une thrombose, la diminution d'œdèmes lymphatiques, la prévention de métastases, en cas de maladies auto-immunes, etc. Elles trouvent également leur emploi sous des formes d'applications locales (pommades, poudres, solutions) dans les cas d'ulcérations, de certaines formes d'acné, de brûlures et d'abcès.

Intestin grêle
Dans cette partie de l'intestin, la nourriture continue d'être décomposée jusqu'à ce que les éléments nutritifs aient atteint la dimension leur permettant de traverser la paroi intestinale pour arriver dans le sang. Les disaccharidases telles lactase, maltase et saccharase, décomposent les sucres doubles en monosaccharides.

Protéases
Avec l'aide de la trypsine et de la pepsine, l'enzyme érepsine décompose les protéines en acides aminés. Dans les cas où une enzyme intestinale précise fait défaut, certains aliments ne seront pas digérés. Une diarrhée peut en être la réaction.

Lactase
Si cette enzyme responsable de la décomposition du sucre de lait manque, l'absorption de produits laitiers frais contenant du lactose provoque des troubles de la digestion, des nausées et des diarrhées. Les produits laitiers gras (beurre, crème entière) ne contiennent pratiquement pas de lactose; les produits laitiers acidulés sont plus digestes.

Saccharases
On constate le manque de cette enzyme lors de diarrhées après l'absorption de sucre blanc. Se constate surtout chez les nourrissons.

Production d'enzymes actives dans l'intestin
Aujourd'hui, on peut produire ces enzymes à l'aide de micro-organismes.

Gros intestin
Dans le gros intestin, on retrouve surtout des enzymes bactériennes qui ont créé une communauté de travail avec l'organisme. Elles forment d'une part des vitamines, d'autre part elles veillent à un usage optimal des fibres alimentaires.

Thérapies
Pour la thérapie du milieu du gros intestin, on utilise surtout des préparations contenant des bactéries intestinales, ainsi que des levures spéciales pour activer la flore bactérienne.

Enzymes dans le corps humain

Le corps humain ne dispose pas uniquement des enzymes du tube digestif. Ces dernières sont d'une grande importance pour notre bien-être, puisqu'elles préparent le terrain à l'intention d'enzymes bien plus importantes. Cette autre catégorie devient active dès que les constituants nutritifs arrivent dans le sang ou la lymphe. Une nuée d'enzymes dirige la transformation des éléments résorbés en substances nutritives compatibles avec l'organisme. Elles se chargent également du transport vers les organes de destination et de la combustion (production d'énergie).

Ces enzymes se retrouvent dans différents organes, organes qui sont également leur lieu de production. En tant que fournisseur d'enzymes, le foie joue un rôle capital.

La production d'enzymes

Un organisme sain produit les enzymes nécessaires selon ses besoins et la nourriture ingérée. Les enzymes sont formées de deux éléments. L'un, comparable à la structure, est formé par l'organisme avec des protéines. L'autre élément est formé, entre autres, d'une vitamine ou d'un sel minéral ingéré avec la nourriture. Après la réunion de ces deux éléments seulement, l'enzyme est active et peut exercer sa fonction métabolique.

Le manque d'enzymes

Un manque d'enzymes peut être partiellement compensé, d'une part à l'aide de certains aliments, d'autre part par l'absorption de préparations vitaminées et minérales (préparations multivitaminées, combinaisons de multivitamine et sels minéraux avec zinc, magnésium). Il est ainsi possible de régler la quantité d'enzymes.

Durée de vie des enzymes

Les enzymes ont une vie très courte. Dès qu'elles ont terminé leur travail, la partie vitamine ou sel minéral est épuisée. Elles sont intégrées dans une cellule. Ne subsiste donc que la structure protidique. L'organisme en reconstitue une nouvelle combinaison d'enzyme active. Il s'agit d'un processus permanent, lequel est à la base du potentiel d'activité de notre métabolisme.

La quantité d'enzymes

On ne peut pas mesurer la quantité d'enzymes, mais notre bien-être nous indique clairement si nous en possédons suffisamment. En cas d'équilibre du métabolisme, c'est-à-dire quand la quantité d'enzymes est suffisante, nous nous sentons en forme et performant. La peau est élastique et on a l'apparence d'une personne jeune et en bonne santé. Dans ces cas, il n'y a généralement pas de problème à utiliser les enzymes nécessaires que l'organisme produit aisément en cas d'alimentation riche en substances vitales. Si l'équilibre métabolique est dérangé, la quantité d'enzymes est basse et peut se manifester par: une chute des cheveux, maux de tête, ballonnements ou autres troubles. On paraît plus vieux que son âge. Un organisme âgé a effectivement davantage de peine à mettre à disposition la quantité d'enzymes nécessaires. Dans ce cas, il est important de stimuler la production enzymatique par la mise à disposition de vitamines et d'éléments minéraux et de veiller à une alimentation riche en enzymes. Une autre mesure est d'avoir une bonne digestion, afin que le corps puisse former les enzymes nécessaires et ne soit pas freiné dans son activité par des aliments mal appropriés.

Aliments producteurs d'enzymes

Ces aliments contiennent des substances dont l'organisme a besoin pour former des enzymes précises. Comme ces substances sont détruites par la cuisson, 1/3 de la quantité journalière des aliments devrait être consommée crue. On peut adopter le principe suivant: plus un aliment est proche de son état naturel, plus il est bénéfique pour l'organisme.

Légumes, salades, germes
Afin qu'un organisme faible en enzymes puisse utiliser ce genre d'aliments crus, il a besoin de plantes condimentaires fraîches: basilic, sarriette, feuilles de céleri, estragon, livèche, marjolaine, origan, ainsi que de la sauce soja comme assaisonnement. En cas de manque d'acide chlorhydrique (parties végétales visibles dans les selles), utiliser du gingembre frais, du poivre ou du curry comme assaisonnement.

Céréales intégrales
Gruaux ou flocons, muesli, bouillies de céréales fraîche, riz complet, pâtes aux céréales intégrales.

Produits laitiers
Produits à base de lait biologique; les produits au lait acidulé sont très bénéfiques, p. ex. kéfir, bifidus, yoghourt.

Fruits
A consommer à jeun et crus. Ne pas combiner à d'autres aliments et ne pas consommer le soir. On évitera ainsi des fermentations et ballonnements dans le tractus digestif.

Oxydoréductases

Dans ce groupe important, on retrouve les enzymes responsables de l'utilisation de l'oxygène. On peut soutenir ce processus par l'absorption de jus de légumes ou de fruits foncés (racines/betteraves rouges, cassis, sureau, myrtilles, cerises noires). Ces jus contiennent un colorant anthocyanique qui alimente les oxydoréductases. Il fournit à ce groupe d'enzymes un élément d'hydrogène important pour une meilleure désintoxication par le métabolisme.

Réduction de la quantité d'enzymes

A la suite d'un traitement médicamenteux, on peut souvent constater que le poids corporel augmente et la forme corporelle se dilate, sans pour autant avoir modifié ses habitudes alimentaires. En est responsable la diminution d'enzymes par les médicaments. Le métabolisme ne peut plus brûler correctement les aliments absorbés et l'embonpoint s'installe. Un besoin supplémentaire de substances vitales se manifeste.

Le métabolisme enzymatique

Chaque élément nutritif exerce un rôle bien précis dans le métabolisme. La rapidité et le lieu d'engagement d'un élément vital dépend du métabolisme enzymatique. La biochimie de l'organisme décide si elle veut utiliser un élément vital ou le laisser dans l'intestin sans l'utiliser. Si la substance passe effectivement dans la voie sanguine, l'organisme, respectivement les enzymes, décident de ce qui doit se passer. Si une structure d'enzyme attend impatiemment l'arrivée de l'élément partenaire, le métabolisme se met immédiatement à fonctionner dès son arrivée. il suffit d'un peu de patience pour obtenir un résultat visible. Il est possible que l'organisme utilise différemment les substances vitales que comme planifiées. Il est donc possible que le corps utilise les éléments vitaux destinés à l'amélioration de la qualité des cheveux pour la régénération des muqueuses. C'est alors la déception, aucun résultat n'étant visible. Dans ces cas, il suffit d'un peu de patience. Une fois les muqueuses régénérées, les cheveux resplendiront de toute leur beauté. Cette autodétermination de l'organisme conduit beaucoup de personnes à prétendre que les vitamines ne servent à rien, parce qu'elles n'ont pas obtenu immédiatement le résultat espéré. Il est parfois possible d'influencer leur effet dans l'organisme par l'absorption de tisanes.

Types métaboliques

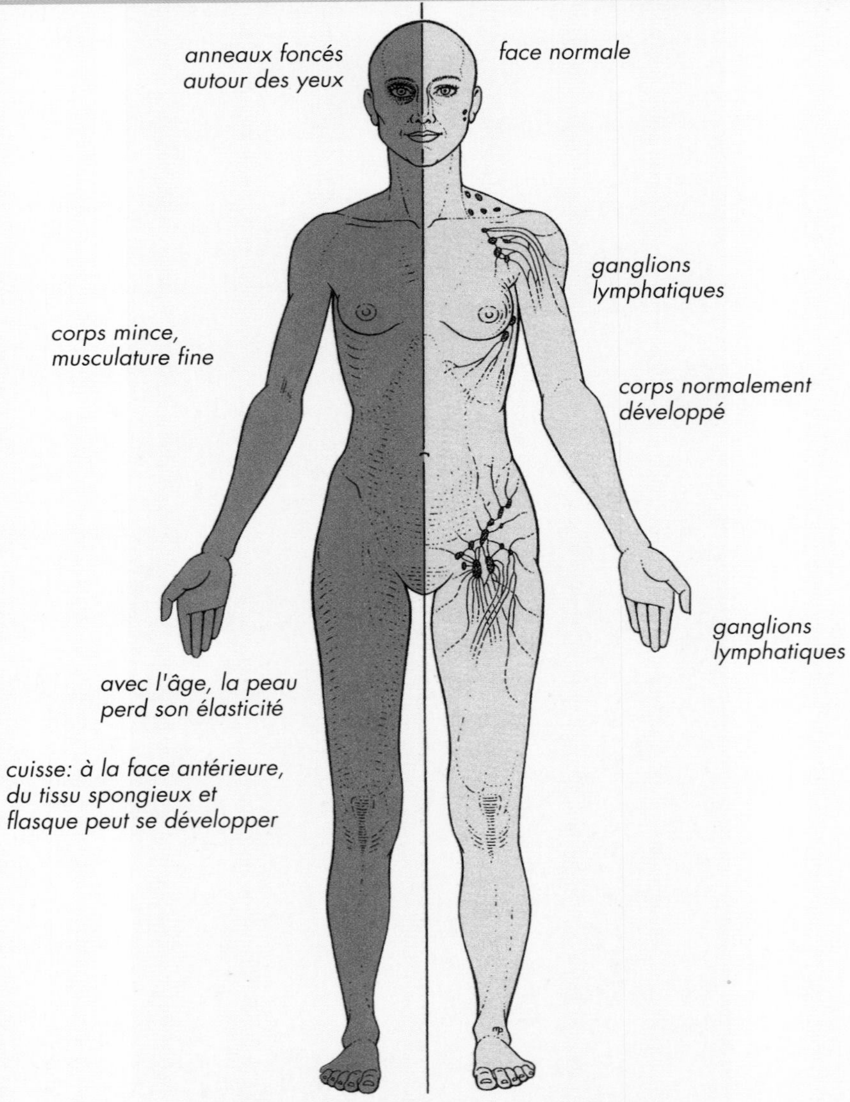

Type métabolique de carence

(Type rétention: pagee 56)

L'alimentation judicieuse

Le métabolisme humain est très individuel. De ce fait, il n'est pas possible d'établir un plan alimentaire unifié. On connaît bien les besoins de base de l'organisme humain, mais on sait très peu de choses sur les quantités et la qualité dont l'individu à besoin. Chacun est tenu à s'observer, à découvrir le langage de son organisme et d'agir en conséquence.

Si l'on ignore les signes que nous donne notre corps, l'organisme est inutilement mis à contribution et à moyen ou long terme, des troubles ou des maladies apparaîtront. Ce livre donne des informations de base touchant l'alimentation et les besoins individuels du métabolisme. Il montre les mesures à prendre pour atteindre une santé stable en cas de manifestations de carence et de troubles.

Durant mes dizaines d'années de travail dans le domaine des substances vitales, j'ai beaucoup pu observer et récolter de précieuses expériences concernant le comportement de l'organisme et les réactions métaboliques. J'ai conseillé bon nombre de personnes qui n'étaient pas malades, mais qui ne se sentaient pas véritablement en bonne santé. J'ai appris que le choix des aliments était important. C'est pourtant l'élaboration individuelle des aliments par le métabolisme qui est décisif.

Manger avec plaisir

Le plaisir de manger est la condition essentielle pour une digestion saine. Celui qui mange à contrecœur ou qui se force mange mal, même si sa nourriture est saine. Sa répugnance vis-à-vis de la nourriture paralyse la production des sucs digestifs, de la bile et du suc pancréatique. Si l'on a bien mangé, on se sent bien et agréablement détendu après le repas. Même 20 minutes après le repas, quand la digestion dans l'estomac marche à plein régime, on ne ressent pas de lourdeurs dans l'estomac.

Type carence

Les jeunes gens de ce type sont sveltes, peuvent manger ce qu'ils veulent et ne connaissent aucun problème de poids corporel. En revanche, ils se sentent parfois fatigués, voire épuisés en cas d'effort d'endurance. En vieillissant, ce type de personnes subit souvent des déficiences dues à l'âge. En cas d'effort maximal à fournir, il a rapidement recours à ses réserves. Si ces dernières sont épuisées, il brûle ses propres tissus afin de mettre les éléments nutritifs nécessaires à disposition des organes. Le pouvoir de régénération est réduit. Le manque de vitamines et de sels minéraux est important.

- Bien-être: toujours fatigué et épuisé; d'un effort à l'autre, on se remet de moins en moins vite; l'accomplissement des tâches quotidiennes devient un calvaire.
- Apparence: peau fine, comme du papier; cheveux fins, rares; mauvaise qualité des ongles; stature svelte; vieillissement précoce.
- Organes internes/articulations: le médecin constate souvent des organes affaissés; tendance à des processus d'usure.
- Comportement alimentaire: manger n'est pas très important; prédilection pour des régimes de jeûne; le mauvais comportement de l'organisme qui dégrade ses propres tissus est ainsi encore accentué; il est étonnant que les personnes de ce type se sentent très bien et en forme durant une cure de jeûne.

Type rétention

Les personnes de ce type ont une apparence un peu grassouillette et gonflée. Elles luttent constamment contre l'embonpoint. Avec l'âge, elles luttent de plus en plus contre l'obésité. Elles paraissent toujours plus jeunes car peu ridées. Ce type métabolique présente la particularité de ne pas brûler toutes ses réserves, même en cas d'effort maximal. Souvent, les aliments ne sont pas correctement dégradés au niveau de l'intestin. Des éléments nutritifs inappropriés passent à travers la paroi intestinale dans le sang: un travail supplémentaire pour le foie. Souvent, ce dernier arrive tout juste à faire son travail et se décharge du surplus dans les tissus. Les cellules ne peuvent pas s'en nourrir et les produits restent déposés dans les tissus conjonctifs du corps.

- Bien-être: étonnamment plein d'énergie
- Comportement alimentaire: les personnes de ce groupe ont constamment des problèmes d'embonpoint et essaient mille et une cures d'amaigrissement; le type rétention a souvent faim, car les cellules sont sous-alimentées, malgré l'embonpoint. Dans ce groupe, on retrouve surtout les gourmands.
- Santé: si l'on ne s'attaque pas à l'engorgement des tissus conjonctifs, des maladies chroniques telles les rhumatismes peuvent se manifester. Le manque de substances vitales est la principale cause de ce dysfonctionnement métabolique.

Type mixte

Il peut arriver que le comportement du métabolisme puisse passer de l'un à l'autre type. Le problème de base reste similaire pour les deux. Il convient, en premier lieu, de supprimer le dysfonctionnement digestif.

Plan de traitement pour le type métabolique de carence

Matin
- 1 tablette mutivitaminée avec complexe de sels minéraux
- 1 dose de magnésium (à 20 Mg++)
- 1 à 2 doses de sels alcalin
- 20 gouttes de TM de chardon Marie, 15 min. avant les repas

Midi
- 20 gouttes de TM de chardon Marie, 15 min. avant les repas

Soir
- 1 tablette multivitaminée
- 20 gouttes de TM de chardon Marie, 15 min. avant les repas
- 1 dose de magnésium (à 20 mg Mg++)
- 1 tablette/capsule de vitamine E 400 mg
- 1 à 2 doses de sel alcalin

Phytothérapie
La désintoxication de l'organisme se fait avec un traitement phytothérapeutique. Le plus simple consiste à boire des tisanes peu concentrées: un jour, 1 litre de tisane pour le foie et la bile, l'autre jour 1 litre de tisane pour les reins.

L'effet du traitement
Par ce programme, le corps est alimenté de manière optimale en vitamines et sels minéraux, ce qui active la production enzymatique. Par le sel alcalin, l'équilibre acido-basique est reconstitué. Les gouttes amères (mélange foie et bile ou simplement TM de pissenlit) stimulent les sucs digestifs et les gouttes de chardon Marie favorisent les fonctions du foie. Les tisanes stimulent les sucs digestifs.

L'alimentation

Pour ce type de métabolisme, la combustion n'est pas optimale à cause des carences enzymatiques. Par une alimentation adaptée, la situation peut être améliorée. Cinq petits repas durant la journée sont idéals. Les quantités s'orienteront à l'appétit, car il est inutile de se forcer de manger. Il est important d'englober des aliments fournisseurs d'enzymes. Le choix des aliments est judicieux dès que l'on se sent en meilleure forme et que l'on a retrouvé sa vitalité. Une alimentation dissociée est néfaste pour le type de carence. On associera donc toujours hydrates de carbone et protéines, car l'alimentation dissociée réduit le poids corporel et peut provoquer une diminution de la masse musculaire chez ce type de métabolisme, ainsi qu'à la décomposition de matériel cellulaire des organes.

Repas

permis	déconseillé
– spaghettis à la bolognaise avec beaucoup de fromage	– spaghettis à la napolitaine
– pâtisserie aux noix avec du sucre de fruit	– pâtisserie avec farine, sucre et graisse uniquement
– repas avec beaucoup de légumes, protéines (viande, tofu noix), riz, pommes de terre, etc.	– légumes avec riz, pâtes ou pommes de terre

Pour ce type de métabolisme, le principe est simple. Il ne faut pas que le taux de sucre sanguin s'abaisse trop, sinon l'organisme n'est plus capable de mobiliser l'énergie pour assurer le processus digestif. On évitera ainsi de se jeter affamé sur les repas, pour se sentir fatigué et épuisé après. Par la suite, des ballonnements se manifestent. On pourra y remédier plusieurs de petits repas.

Repas intermédiaires

permis	déconseillé
– toutes les sorte de noix; les combiner avec un verre de kéfir à l'eau	– douceurs (affaiblissent - le métabolisme enzymatique de la digestion)
– toutes les sortes de graines, p. ex. tournesol, sésame, pavot, avec des figues ou de l'ananas	
– séré avec de la sauce soja et des légumes	
– 1 gobelet de kéfir au lait	

Plan alimentaire

Petit déjeuner

– œuf, fromage, jambon, un peu de pain complet, thé
– Muesli aux séré avec un peu de blanc battu, noix, pommes râpées, pain complet, éventuellement café au lait

Les personnes qui n'ont pas faim le matin s'habitueront à manger un fruit ou quelques amandes sur le chemin du travail. Ainsi, le métabolisme se mettra déjà en route.

Intercaler un repas intermédiaire

voir ci-dessous

Repas de midi

– Beaucoup de légumes, aliments riches en protéines (poisson, viande, tofu) petite garniture d'hydrates de carbone
– Salades, légumineuses, garniture d'hydrates de carbone
– Potage à base de légumineuses (p. ex. lentilles), légumes, un peu de poisson ou de viande, garniture d'hydrates de carbone
– poisson, hydrates de carbone

Intercaler un repas intermédiaire
voir ci-contre

Repas du soir
- S'il comportait des produits laitiers, on choisira du tofu, des raviolis aux champignons ou du poisson avec des pâtes.
- S'il ne comprenait pas de protéines de lait, on pourra consommer du fromage, des salades et un peu de pain.

Préparation des repas
Si l'on consomme du pain ou des pâtes sans graisses, l'organisme utilise davantage de calories pour dégrader les hydrates de carbone. En ajoutant des huiles ou du beurre, le processus est accéléré. En ajoutant en même temps du miel ou de la confiture, le processus dure encore moins longtemps.

Produits d'agrément
- L'alcool est un hydrate de carbone que ce type de métabolisme élimine rapidement, De ce fait, il néglige la nourriture ingérée. L'idéal serait un verre de vin blanc de temps en temps.
- Le chocolat est un péché mignon qui devrait tout au plus être pris en combinaison avec des noisettes.

Plan de traitement pour le type métabolique de rétention

Matin
- 1 tablette mutivitaminée avec complexe de sels minéraux
- 1 dose de magnésium (à 20 mg Mg++)
- 1 à 2 doses de sel alcalin
- 40 gouttes de TM de chardon Marie, 15 min. avant les repas
- 20 gouttes de TM de pissenlit, 15 min. avant les repas

Midi
- 40 gouttes de TM de chardon Marie, 15 min. avant les repas
- 20 gouttes de TM de pissenlit, 15 min. avant les repas

Soir
- 20 gouttes de TM de pissenlit, 15 min. avant les repas
- 40 gouttes de TM de chardou Marie, 15 min. avant les repas
- 1 tablette multivitaminée
- 1 dose de magnésium (à 20 mg Mg++)
- 1 tablette/capsule de vitamine E 400 mg
- 1 à 2 doses de sel alcalin

Phytothérapie
La désintoxication de l'organisme se fait avec un traitement phytothérapeutique. Le plus simple consiste à boire des tisanes peu concentrées: un jour, 1 litre de tisane pour le foie et la bile, l'autre jour 1 litre de tisane pour les reins.

L'effet du traitement
Par ce programme, le corps est alimenté de manière optimale en vitamines et sels minéraux, ce qui active la production enzymatique. Par le sel alcalin, l'équilibre acido-basique est reconstitué. Les gouttes amères (mélange foie et bile ou simplement TM de pissenlit)

stimulent les sucs digestifs et les gouttes de chardon Marie favorisent les fonctions du foie.

L'alimentation

Le métabolisme met un très long temps à éliminer les produits intermédiaires. La lutte souvent infructueuse contre l'embonpoint conduit à des régimes toujours plus sévères. Il est donc important de décharger au maximum ce type de métabolisme. Dans ce cas, la cuisine végétarienne s'impose, du moins pour un certain temps. Il convient d'éviter toutes les protéines animales telles viandes, poissons, qui sont plus difficile à dégrader pour l'organisme.

permis	déconseillé
– lait de soja, purée d'amandes	– lait, petit-lait
– tofu, tempeh, seitan	– tous les sérés
– yoghourt au soja	– yoghourt
– fromage de brebis, après un certain temps	– toutes les sortes de fromages
– très peu de produits à pâte feuilletée	– lait en poudre (contrôler les compositions des aliments!)
– lait de soja	– pâtisseries
– légumineuses	– sucreries
	– toutes les viandes, charcuteries
	– tous les poissons

Plan alimentaire

Petit déjeuner

- Muesli: purée d'amandes avec eau et purée de pommes, fruits, flocons et eau. Café noir, mieux: kéfir à l'eau, kombucha ou tisane, p. ex. maté (mobilise le métabolisme)ou thé vert.
- Pain, beurre, miel ou confiture (sans café au lait!).
- Fruits frais et tisane sont la meilleure combinaison pour le petit déjeuner.

Repas intermédiaire

- Ce type métabolique devrait renoncer à manger entre les repas principaux. Ceci afin de vider l'estomac pour arriver à une meilleure digestion et atteindre un équilibre acido-basique.

Repas de midi

- Légumes ou tofu, légumineuses, purée de noix, petite garniture (pâtes, riz, pommes de terre).
- Salades, légumineuses, éventuellement garniture

Repas du soir

- Salades, riz, pâtes ou pommes de terre.

A savoir

Pour l'alimentation végétarienne, les protéines végétales devraient être combinées avec les hydrates de carbone, afin d'obtenir un approvisionnement idéal en protéines. Par exemple:

- légumineuses et maïs, à parts égales;
- riz et pois, à parts égales;
- céréales et tofu et légumes.

Produits d'agrément

En général, ce type métabolique ne réagit pas négativement à l'usage modéré d'alcool (1 à 2 fois par semaine), de thé ou de café. Toutes les pâtisseries ne contenant ni protéines de lait ni œufs sont permises en quantité judicieuse.

Type de métabolisme mixte

Il dépend de l'excès de poids corporel et de l'endroit des dépôts graisseux pour savoir s'il faut s'orienter du côté du plan de thérapie du type de rétention ou de carence. Si le corps ne présente que des dépôts graisseux à des endroits isolés, on choisira le plan du type de rétention. Si le poids corporel a augmenté régulièrement de 2 à 3 kg, on choisira le plan du type de carence.

Journées de drainage

Les journées de drainage servent essentiellement à corriger des excès alimentaires occasionnels. On donne ainsi à l'organisme la possibilité de se libérer rapidement de déchets métaboliques. Une journée de drainage ne doit pas être un stress pour l'organisme et les travaux quotidiens doivent pouvoir être accomplis sans autre. Pour éviter de se sentir mal, il est important que l'organisme conserve sa quantité de liquide de fonctionnement. Il est impératif que le foie, en tant qu'organe capital du métabolisme général, soit drainé, tout comme l'intestin.

Petit déjeuner

- 2 CS d'huile d'olive vierge extra ou d'huile de carthame, 2 CS de jus de citron (facilite la digestion), $^1/_4$ CC de poudre de coriandre ou de cannelle, délayer le tout dans de l'eau tiède et boire à jeun.
- Variante: remplacer les épices par une gousse d'ail pressée
- 30 gouttes de TM d'artichaut

Dans la matinée

- 3 dl de jus rouge (p. ex racine/betterave rouge, myrtilles, cassis, sureau, etc.)
- consommer des fruits en cas de faim (tous les fruits sauf agrumes et fruits à noyaux; cerises permises)

Repas de midi

- Assiette de légumes variés ou salade composée; préparer la sauce sans produits laitiers, les légumes avec un peu d'huile d'olive vierge extra ou
- Salade mêlée et potage de légumes ou
- Assiette de légumes variés et salade de fruits
- 50 gouttes de TM d'artichaut

Après-midi

- Consommer des fruits ou une salade de fruits en cas de faim.
- 1 CC de sel Glauber (sulfate de sodium) dans 2,5 dl d'eau avec 100 gouttes de TM d'artichaut ou
- 2,5 dl de tisane laxative et 100 gouttes de TM d'artichaut
- Attention: ne rien manger 1 heure avant ces deux variantes. Prendre le repas du soir $1^1/_2$ heure plus tard.

Repas du soir

- Assiette de salades, de légumes ou salade de fruits.
- 50 gouttes de TM d'artichaut.

Important
Les fruits et légumes peuvent être consommés sans restriction. Les substances vitales, tisanes et gouttes du traitement de base, doivent toujours être pris. Le soir, on devrait avoir une à deux défécations. Si les selles sont foncées, l'organisme a bien travaillé et s'est libéré des déchets.

Jours de drainage avec prise de poids
Le poids corporel a augmenté et l'on se sent gonflé, bien que la journée de drainage ait été entreprise correctement. Ce phénomène peut se manifester en cas de travail insuffisant du foie. Une stimulation supplémentaire s'impose alors. En plus du programme de base, on prendra 3 fois par jour un mélange de teintures-mère à effet cholérétique (absinthe, menthe, souci).

Apport en oxygène

Pour son travail, le métabolisme nécessite beaucoup d'oxygène. La quantité apportée n'est pas fixe et peut être augmentée par l'entraînement. Choisissez une activité corporelle qui vous fait plaisir (marche à pied, vélo, natation, etc.). Il ne s'agit pas de fournir des efforts considérables au début. Augmentez régulièrement votre effort. Le foie vous en sera très reconnaissant.

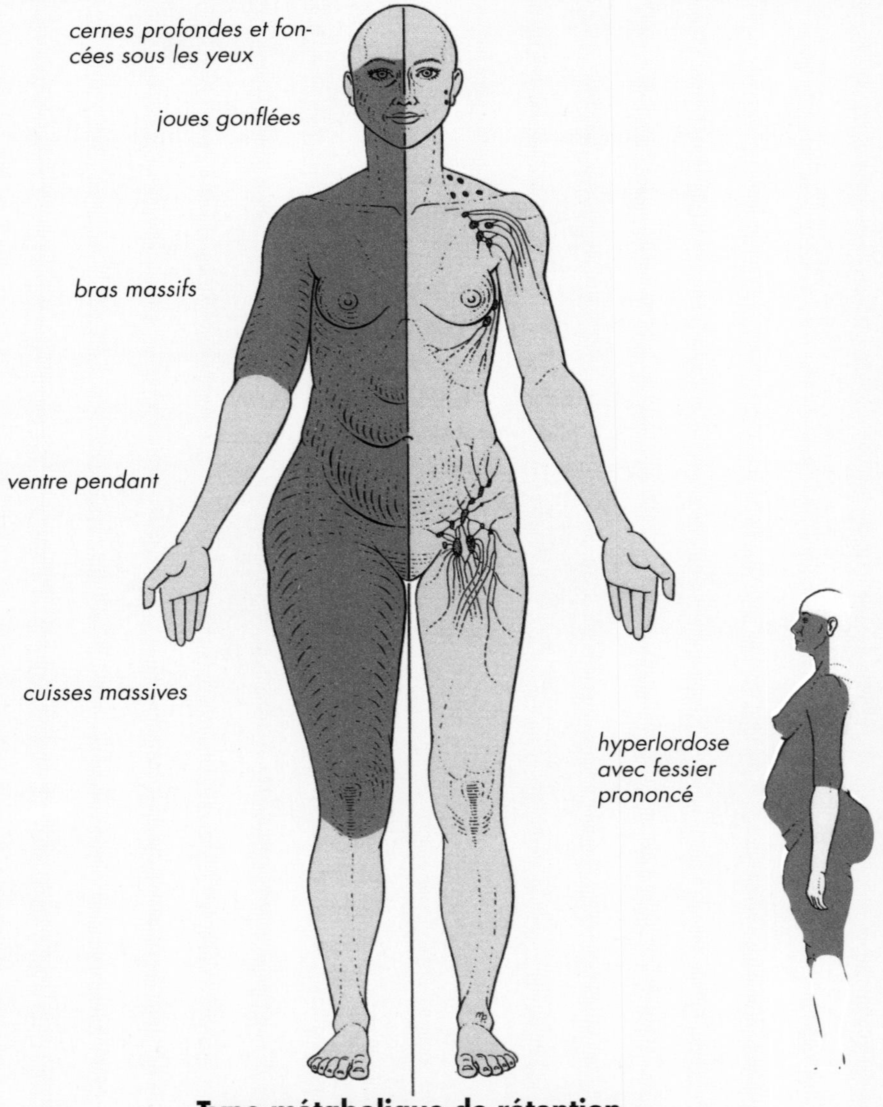

Type métabolique de rétention

(Type carence: page 48)

Vitamines

Vitamine A

(rétinol)

fonctions	signes de carence
Yeux L'œil comporte deux sortes de cellules sensibles dans la rétine: les cônes pour la distinction des couleurs et les bâtonnets pour distinguer le clair du foncé. Dans les cônes et les bâtonnets se trouve un pigment sensible à la lumière, le pourpre rétinien. Ce dernier est composé d'une protéine et de vitamine A. Si un rayon lumineux arrive sur une cellule optique, le pourpre se décompose, des charges électriques sont libérées, lesquelles vont stimuler des fibres nerveuses, qui vont transmettre cette stimulation au cerveau par les voies nerveuses. Là, toutes les stimulations sont recomposées pour former une image. En même temps, du nouveau pourpre est reconstitué dans l'œil à partir de protéines et de vitamine A. Sert aussi à la régénération de la cornée et de la conjonctive.	**Yeux** Héméralopie (la capacité visuelle est réduite dans l'obscurité); l'œil craint la lumière, grande sensibilité à la lumière vive (si l'on ne parvient plus à fixer brièvement le soleil). Yeux douloureux, les douleurs se ressentent derrière l'œil et se répandent petit à petit sur le globe entier. Lente adaptation à l'obscurité, mauvaise visibilité dans la pénombre. Kératomalacie: sensibilité à la lumière, paupières collées, sécheresse et trouble de la conjonctive et de la cornée avec restriction du champ visuel pour les couleurs (surtout le bleu et le jaune) suivie par une ulcération et perforation.
Muqueuses La vitamine A favorise la fonction et le développement de muqueuses et du tissu épithélial. Elle les maintient en bonne santé, les protège de l'usure et du dessèchement. Des lésions aux couches extérieures conduisent souvent à des abrasions et kératinisation de l'épithélium. Ces blessures facilitent l'accès aux agent d'infections.	**Muqueuses** Diminution des muqueuses, la bouche devient sèche et la salive manque; régression des glandes salivaires. Des pustules et aphtes se forment, allant jusqu'à l'inflammation de la muqueuse buccale. Les muqueuses du nez sèchent et l'odorat diminue. L'épithélium ciliaire des bronches se rétracte et des inflammations chroniques des voies respiratoires se produisent. La muqueuse intestinale ne se renouvelle pas correctement (en combinaison avec des laxatifs, les selles se colorent en noir) et la résorption des nutriments est gravement dérangée. Lésions ulcéreuses à la paroi intestinale. La carence en vitamine A augmente la disposition aux infections.

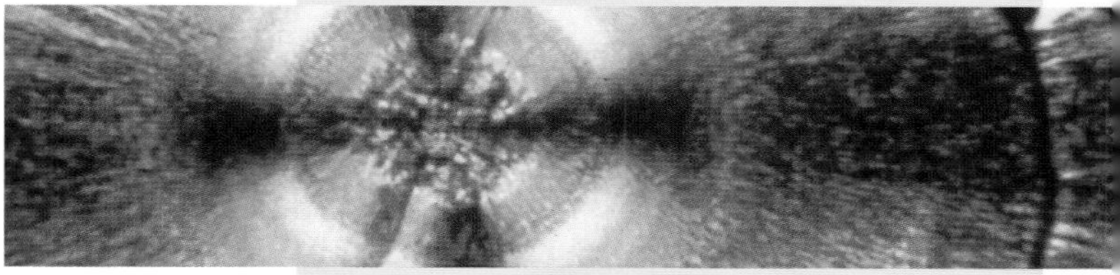

Peau Favorise la constitution et les fonctions de la peau. Elle maintient en équilibre le processus de kératinisation de l'épiderme en évitant une hyperkératose (trop de cellules cornées), tout comme la parakératose (manque de cellules cornées). Elle régularise l'activité des glandes sébacées et sudoripares.	**Peau** Formation de peau de poule, surtout au fessier, aux cuisses et du côté extérieur des arrière-bras; en même temps manque de vitamine B_2. Peau sèche et rugueuse sur tout le corps, associée à une sensation désagréable de tension. Grains de semoule, la peau est souvent brillante et a tendance à se rider; elle est mince comme du parchemin. Comédons (acné) au visage, sur le dos et le fessier; formation de verrues et de furoncles. Diminution des glandes sébacées et sudoripares, ainsi que sur- ou sous-production de ces deux types. Tissus de cicatrisation enflammés.
Sang Elaboration des globules sanguins rouges et blancs.	**Sang** Anémie hypochrome (absence d'hémoglobine, de colorant, dans les globules rouges).
Os Soutient la formation de substance osseuse. Chez l'enfant, elle est responsable de la couche germinative. En coopération avec le zinc, elle est responsable de la croissance de l'enfant.	**Os** Troubles du développement osseux avec exagération en épaisseur. Arrêt de la croissance. Dérangements et défectuosités dans la formation de la couche germinative et du cartilage épiphisaire (croissance de l'os). Veiller à l'approvisionnement en zinc.
Dents Soutient la formation de l'émail.	**Dents** Mauvaise qualité de l'émail dentaire.

Ongles Veille à la formation, la croissance et à l'élasticité des ongles.	**Ongles** Les ongles présentent des lignes longitudinales, ils deviennent durs, épais, kératinisés, de couleur jaunâtre. Ongles en forme de griffes dépassant le bout des doigts ou se courbant fortement. Les lignes longitudinales sont aussi le signe d'un problème de muqueuse intestinale, éventuellement un manque de fer.
Cheveux Favorise la formation et la croissance des cheveux.	**Cheveux** Cheveux cassants, mats, sans élasticité. Perte de cheveux, pellicules, surtout en raison de manque simultané d'acides gras essentiels.
Procréation La vitamine A favorise la fonction des organes sexuels de l'homme et de la femme. Pour une procréation normale, la vitamine A est indispensable.	**Procréation pour l'homme** Peut produire un arrêt total de la production de spermatozoïdes, les cellules productrices dégénèrent, les testicules rétrécissent. **Procréation pour la femme** Dessèchement (douleurs durant les rapports sexuels), inflammation, voire kératinisation du vagin; réduction des ovaires. Veiller à l'apport en zinc et en acides gras essentiels.
Chez l'enfant La vitamine A est indispensable pour le bon développement des enfants.	**Chez l'enfant** Une carence en vitamine A augmente sensiblement la mortalité infantile et la disposition aux infections.

Résorption de la vitamine A

Ne jamais absorber de la vitamine A seule, mais la combiner avec les vitamine E et C, ainsi qu'avec du zinc, pour que l'organisme puisse la résorber. Absorbée seule et en surdose, elle peut provoquer des lésions du foie qui sont toutefois réversibles dès que l'on interrompt l'administration. Une alimentation pauvre en protéines favorise la carence de vitamine A. Durant le transport dans le sang, la vitamine A est liée à une protéine spécifique.

Sources de vitamine A

Foie, huile de foie de morue, beurre, crème, jaune d'œuf. Sous forme de carotène dans les légumes. Mais pour transformer le carotène en vitamine A, l'organisme a besoin de vitamine E. Le carotène des légumes foncés est mieux utilisé.

Destructeurs de vitamine A

Les nitrates des engrais synthétiques détruisent la provitamine A dans les plantes. Cette destruction continue dans notre corps et celui des animaux. La vitamine A est très sensible à la chaleur et à l'oxygène (p. ex. friture). Les fruits séchés au soleil contiennent moins de vitamine A.

Besoins/dose recommandée

groupe d'âge	**vitamine A (U.I.)**
nourrissons	1500
enfants de 1 à 4 ans	2000–1500
enfants de 4 à 10 ans	2500–2000
jeunes gens de 10 à 18 ans	4500–5000
adultes dès 18 ans	5000–6000

(I. E. = internationale Einheiten)

Signes d'un surdosage

Aigu: augmentation de la pression oculaire, maux de tête, manque d'appétit, vomissements, inflammation des lèvres, perte des cheveux, desquamation de la peau, fatigue, somnolence, hémorragies, saignements du nez.

Chronique: desquamation de la peau avec rougeurs et prurit, desquamation sur les muqueuses, inflammation des lèvres et de la muqueuse buccale, gingivite, maux de tête, douleurs dans les os, œdèmes papillaires, troubles du sommeil, manque d'appétit et perte de poids, fatigue, hémorragies, gonflement du foie.

Maladies favorisées par une carence en vitamine A

Furoncles, impétigo, inflammations des muqueuses dans le tractus gastro-intestinal, ulcères gastriques, calculs biliaires et rénaux. Chez les enfants, maladie cœliaque (maladie du tractus intestinal), artériosclérose, bronchite chronique.

Bêta-carotène (provitamine A)

Introduction

On connaît environ 500 carotinoïdes différents, tous apparentés chimiquement . Entre 10 à 15 (probablement 12) d'entre eux sont au moins partiellement transformables en vitamine A dans l'organisme humain. On les appelle donc aussi provitamines A. Le bêta-carotène est de loin le plus important. On ne sait pas à cent pour cent si le bêta-carotène est essentiel pour la vie humaine. De nouveaux travaux indiquent pourtant qu'en plus de la fonction de provitamine A, le bêta-carotène exerce aussi des fonctions spécifiques dans l'organisme, notamment comme antioxydant.

Fonction biochimique

Les radicaux libres, des agents extrêmement agressifs, sont présents p. ex. dans l'air respiré, les produits chimiques et dans le corps même. Les substances délicates comme les protéines, les graisses, ainsi que les substances génétiques comme le DNS (acide désoxyribonucléique) peuvent être endommagées par des radicaux libres. Ces lésions peuvent aller jusqu'à la destruction des cellules et la formation de cancers.

En outre, on dispose de plus en plus d'indications sur la responsabilité des radicaux libres dans la genèse de maladies telles l'artériosclérose, le cancer, les rhumatismes, l'arthrite et la cataracte. Le processus même du vieillissement est aussi influencé par des radicaux libres. Mais la nature a prévu des mécanismes de protection contre ces radicaux libres. Certaines vitamines, comme p. ex. les vitamines C et E, mais aussi et surtout le bêta-carotène , peuvent neutraliser ces agresseurs. On appelle aussi cet effet des carotinoïdes effet antioxydant.

Sources naturelles de bêta-carotène

On le retrouve surtout dans les légumes et fruits frais. Les meilleures sources sont les fruits de couleur jaune ou orange, ainsi que les légumes à feuilles vert foncé et les carottes. Bon nombre de jus de fruits sont enrichis de bêta-carotène.

Besoins

Comme les bêta-carotènes ne sont pas de vraies vitamines, on ne peut pas fixer de dose journalière. Une nourriture «normale» en contient environ 1 à 2 mg. Une alimentation comprenant beaucoup de fruits colorés frais et des légumes (conseillé également par l'Institut sur le cancer des USA), assure un apport de 5 mg environ pour protéger le corps des radicaux libres.

Autres carotinoïdes intéressants:

Lycopine: facteur de protection important en cas de maladies cardio-vasculaires et de cancer. Elle a le degré anti-oxydatif le plus élevé.
Lutéine: est utilisée pour la protection des yeux surtout.

Vitamine E

(tocophérol)

fonctions	signes de carence
En général Favorise les efforts de longue durée. Protège des lésions cardiaques (avec un bon approvisionnement, seuls 59% des groupes à risque tombent malades).	**En général** Manque de force; vieillissement précoce; manque de sang résistant à des apports en fer. Perte de pigments des dents qui deviennent couleur de craie. Maladies du cœur.
Métabolisme hormonal La vitamine E régularise le métabolisme hormonal et les fonctions de l'hypophyse afin que la glande thyroïde puisse résorber l'iode de l'alimentation.	**Métabolisme hormonal** Troubles de la glande thyroïde. Yeux basedowiens (exophtalmie).
Métabolisme Elle régularise les besoins en oxygène, empêche que l'oxygène détruise les acides gras et la vitamine A et évite le gaspillage de l'oxygène par le corps. Elle protège aussi les hormones sexuelles de l'oxydation. Grâce à la vitamine E, le foie nécessite moins d'oxygène pour neutraliser les additifs dans nos aliments.	**Métabolisme** Premiers signes: problèmes de sommeil, formation de taches de vieillesse, difficulté à respirer en montagne. Arthrite, infarctus du myocarde, inflammations des reins, asthme, créatine dans l'urine. Diminution des dépôts de glycogène dans le foie (prouvé par des essais sur animaux).
Peau Maintient la peau souple et élastique, favorise une cicatrisation parfaite, p. ex. après un infarctus du myocarde, opérations et accidents.	**Peau** Acné persistante, formation de verrues, taches de vieillesse. Cicatrices guérissant mal, formation de bourrelets rouge-bleu ou de stries. Les cicatrices restent brunes, formation de chéloïdes; brûlures guérissant mal.
Vaisseaux sanguins Maintient l'élasticité des vaisseaux, prolonge la durée de vie des globules rouges, empêche les thromboses.	**Vaisseaux sanguins** Inflammations des veines, thromboses, varices, caillots de sang, claudication intermittente, crampes nocturnes dans les jambes.
Tissus conjonctifs Elle maintient leur jeunesse et leur élasticité tout en favorisant leur régénération; ces propriétés sont de grande importance pour le cœur. Grâce à cet effet, la vitamine E est une vitamine de protection contre la vieillesse.	**Tissus conjonctifs** Tissus conjonctifs faibles; tendance aux vergetures pour les femmes enceintes.

Cellules Rend possible la formation de noyaux cellulaires.	**Cellules** De graves lésions peuvent se produire.
Nerfs Elle est responsable d'un bon fonctionnement de notre système nerveux, surtout au niveau des sens et de la perception. Elle protège des processus dégénératifs.	**Nerfs** Régions de peau insensibles à la suite d'opérations ou d'accidents.
Musculature Le fonctionnement et l'élasticité de la musculature lisse et striée sont favorisés.	**Musculature** Raideur, faiblesse musculaire (mauvaise tenue corporelle), calcification de tissus musculaires, claquages musculaires fréquents, crampes, inflammations des muscles.
Yeux Favorise le maintien et le fonctionnement de la rétine.	**Yeux** Yeux basedowiens, strabisme (faiblesse des muscles de l'œil), troubles de la rétine (dégénérescence, décollement de la rétine).
Tendons, cartilages Contribue à la production des tendons et des cartilages et est responsable de leur régénération, même en âge avancé.	**Tendons, cartilages** Raccourcissement des tendons; il en résulte une mauvaise mobilité (visible aux mains et aux pieds). on ne peut plus détendre les doigts et des nodosités se forment le long des tendons (rétraction de Dupuytren). Les doigts de pied se recourbent également. Usure des cartilages.
Fertilité de la femme La vitamine E est indispensable pour le développement de l'ovule et du fœtus. Elle protège ce dernier de lésions des yeux, du cerveau et du cœur. La vitamine E participe à la régulation de la menstruation.	**Fertilité de la femme** Provoque des accouchement longs et difficiles, des naissances prématurées, des enfants mort-nés. Inflammations du vagin, règles irrégulières, trop faibles ou trop abondantes. Troubles de la ménopause.
Fertilité de l'homme Elle influence le pouvoir fécondant et la mobilité des spermatozoïdes. Assure la vitalité.	**Fertilité de l'homme** Croissance du tissu conjonctif de la verge, spermes non mûrs, grossissement de la prostate.

Important!

On absorbera toujours la vitamine E avec des aliments riches en graisse pour en assurer la résorption.

Interactions

Malheureusement, les nitrates et les nitrites forment des nitrosamines cancérigènes tant durant la cuisson qu'en contact avec les sucs digestifs. La vitamine C lie les nitrosamines dans la partie aqueuse du processus digestif. Dans la partie graisseuse, la vitamine E se charge de cette tâche. Les consommateurs de charcuteries ont donc un besoin accru en vitamine B_6, C et E.

Préjugé

La vitamine E n'augmente pas nos besoins de rapports sexuels, elle ne fait que régler notre métabolisme hormonal. On ne risque donc pas de ressentir des envies sexuelles démesurées en absorbant de la vitamine E.

Destructeurs de vitamine E

L'eau chlorée augmente nos besoins en vitamine E.

Intéressant

Les fumeurs profitent des propriétés antioxydantes de la vitamine E. Elle est capable d'intercepter les radicaux libres contenus dans la fumée.

Besoins en vitamine E

Recommandation de la société allemande pour l'alimentation (DGE):

par jour	12 mg
dosage thérapeutique	400 mg

Sources de vitamine E

Céréales intégrales, graines, noix, germes de blé, choux de Milan/vertus, rognons de veau.

Maladies favorisées par une carence en vitamine E

Arthrite, sclérodermie (maladie du système vasculaire et du tissu conjonctif), dystrophie musculaire, fausses couches, rétrécissement des voies urinaires après inflammation, maladie de Dupuytren (rétraction des tendons), embolie pulmonaire, apoplexie, infarctus du myocarde, néphrites, troubles de la glande thyroïde, décollement de la rétine, asthme, emphysème pulmonaire, lumbago, lésions des disques intervertébraux, lésions hépatiques, ulcères gastriques.

Vitamine D

(vitamine antirachitique)

fonctions	signes de carence
Métabolisme Règle le métabolisme du calcium et du phosphore. Echange de nutriments par la différenciation et la croissance cellulaire. Elle favorise quelques fonctions immunologiques et, dans certaines formes de cancer, empêche même la différentiation de tumeurs.	**Métabolisme**
Squelette/protection Dirige le stockage du calcium dans les os et empêche leur décalcification. Evite le dépôt de calcium dans les muscles.	**Squelette/protection** Rachitisme, ostéomalacie (ramollissement des os), mauvaise guérison de fractures des os, troubles de la ménopause, fractures spontanées, toute la problématique de l'arthrose.
Femmes Durant la ménopause, la vitamine D protège de la décalcification des os.	**Femmes** Maux de tête durant la menstruation.
Peau Régulation du métabolisme de la peau.	**Peau** Une carence en vitamine D peut produire des eczémas chroniques.
Système lymphatique Favorise les fonctions de ce système.	**Système lymphatique**
Enfants Troubles de la croissance chez les enfants.	**Enfants** **Front** Le front paraît démesurément grand et bombé. Des creux se forment au dessus des sourcils et des bourrelets apparaissent à la racine des cheveux. Par rapport aux os de la pommette, le front paraît trop étroit. Le crâne est bosselé.

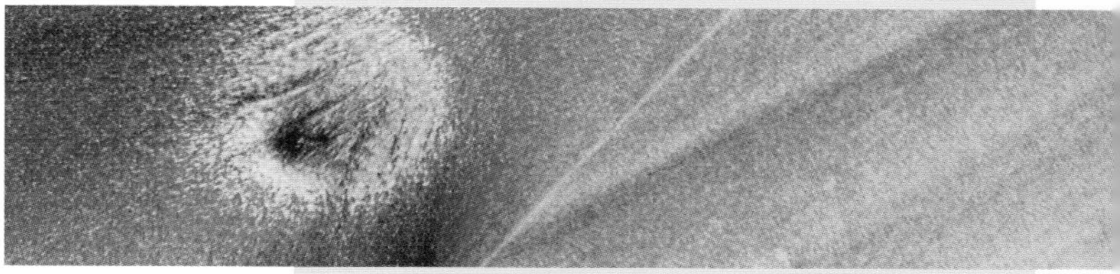

Enfants

Visage

Le visage prend une forme allongée (en banane) au lieu d'une forme ronde, typique pour les enfants. Les mâchoires sont trop étroites, les dents manquent de place. Les dents poussent de manière irrégulière (dentition retardée). Retard de la deuxième dentition; la position des dents est irrégulière; elles poussent de travers. Le menton se développe mal; il est dévié ou fuyant.

Thorax

Le haut du thorax semble affaissé, alors que les côtes du bas sortent vers l'avant.

Jambes

Les genoux se touchent (jambes en x). Les mollets ou même les cuisses sont en forme de o.

Mains

Les articulations des doigts et de la main forment des nœuds.

Jeunes filles

Le bassin est trop étroit. Ce qui rendra ultérieurement un accouchement difficile ou empêchera le déroulement naturel, les voies d'accouchement restant trop étroites.

Surdosage

Faiblesse, fatigue, maux de tête, nausées, vomissements et diarrhée. Les premiers signes sont un besoin fréquent d'uriner à la suite de lésions rénales. De fréquentes doses trop élevées produisent même une décalcification des os et le dépôt de calcium dans les tissus, les artères, le pancréas, les reins, le cœur, les poumons et la cornée et favorisent l'artériosclérose. De graves troubles peuvent s'ensuivre.

Besoins en vitamine D

Prévention chez le nourrisson
500 U.I.

Prévention en cas de risque reconnu
400–1000 U.I.

Thérapie en cas de rachitisme et ostéoporose
1000 U.I.

Sources de vitamine D

Huile de foie de morue, harengs, sardines, œufs (uniquement de poules élevées en plein air).

Production de vitamine D par l'organisme

Le corps produit de la vitamine D à l'aide de la lumière solaire. La vitamine D produite dans la peau est résorbée après 3 jours. Elle est généralement éliminée par les habitudes d'hygiène corporelle. Prudence donc avec les douches trop fréquentes et les bains moussants.

Destructeurs de vitamine D

L'usage abusif de produits moussants pour le bain et le smog des cités retenant les rayons du soleil.

Important

La vitamine D est un facteur à risque.

Vitamine F

Les acides gras essentiels: acide linolique, gamma-linolénique et alpha-linolénique

fonctions	signes de carence
En général Importants pour les systèmes de régulation de l'organisme (hormones, membranes cellulaires). Les acides gras essentiels sont nécessaires pour bon nombre de fonctions corporelles.	**En général** Graves troubles de la santé. Tendance à avoir des dépôts de graisse dans les vaisseaux sanguins; artériosclérose, maladies du cœur, ulcérations des jambes, rhume des foins.
Formation hormonale La vitamine F forme les hormones de la glande surrénale et les hormones sexuelles, ainsi que les prostaglandines (hormones tissulaires).	**Formation hormonale** Impuissance, syndrome prémenstruel, stérilité.
Cellules Elle joue un rôle important dans la respiration cellulaire, est essentielle dans la formation de la membrane cellulaire.	**Cellules** Le corps semble gonflé par la rétention d'eau, car les membranes cellulaires ne sont pas intactes. Premiers signes: œdèmes aux chevilles. Les personnes atteintes ne maigrissent pas, cela malgré les régimes. En plus, à cause du manque d'acides gras essentiels, le corps transforme plus volontiers les sucres en graisses.
Yeux Humidification des yeux.	**Yeux** Manque de liquide lacrymal.
Foie La vitamine F participe à la transformation du cholestérol en acides biliaires et contribue ainsi à régulariser le taux de cholestérol et à empêcher les dépôts de graisse le long des parois des vaisseaux sanguins. Elle régularise le métabolisme des graisses.	**Foie** Vésicule biliaire atrophiée, maladies du foie et de la bile, hypercholestérolémie.
Flore intestinale Les acides gras essentiels participent à la formation et au maintien des bactéries de la flore intestinale.	**Flore intestinale** Constipation.

Peau Favorise son développement et ses fonctions. Favorise la cicatrisation.	**Peau** Eczémas, peau épaisse, sèche, squameuse; prurit du cuir chevelu; psoriasis, furoncles.
Cheveux et ongles Favorise la brillance et l'élasticité.	**Cheveux et ongles** Chute des cheveux, cheveux dévitalisés, secs, cassants, très fins. Modifications maladives des racines des cheveux. Ongles cassants et friables.
Croissance La vitamine F est indispensable pour les enfants et leur croissance.	**Croissance** Retard dans le développement des enfants qui souffrent souvent d'eczémas.

Interactions

Les acides gras saturés augmentent les besoins en vitamine E. Avec la vitamine D, les acides gras essentiels contribuent à la résorption du calcium.

Besoins en acides gras essentiels

Le corps a besoin d'au moins 7 à 10 g d'acides gras essentiels par jour, ceci sous forme d'huiles végétales, comme p. ex. huile de carthame, de tournesol, d'olive, etc.

Maladies favorisées par une carence en acides gras essentiels

Psoriasis, stérilité, œdèmes, atrophie de la vésicule biliaire, maladies du cœur, artériosclérose, furoncles, ulcères aux jambes, rhume des foins, maladies du foie et de la bile, hypercholestérolémie.

Les divers acides gras essentiels

Acide linolique
Contenue dans: huile de carthame (75 à 90%), huile de tournesol (54 à 60%), huile de germes de maïs (42 à 61%), huile de soja (50 à 60%). Ces huiles conviennent également très bien pour les soins du corps. En les utilisant pour se masser la peau avant la douche ou le bain, on obtient une peau soyeuse. L'acide linolique n'est efficace que dans les huiles pressées à froid. Ne pas les chauffer.

Acide alpha-linolénique
L'huile de lin forme la prostaglandine-3. Si les tissus en contiennent suffisamment, les inflammations rhumatismales peuvent être contrôlées. En cas de rhumatismes inflammatoires, on devrait absorber tous les jours de l'huile de lin. Soulage également en cas de dessèchement des yeux et de la peau.

Acide gamma-linolénique
Cet acide est contenu dans l'huile de bourrache et d'onagre. Sous forme de capsules, celle-ci aide contre le syndrome prémenstruel avec seins enflés et douloureux, humeur instable, mais aussi en cas de peau très sèche.

Acides gras oméga-3
Contenus dans l'huile de poisson, ils aident à réparer les membranes cellulaires, un processus important en cas de rhumatismes.

Vitamine K

fonctions	signes de carence
Sang Le corps en a besoin pour régler la coagulation. Il produit la vitamine K à l'aide de la flore intestinale.	**Sang** Hypothrombinémie. Des saignements dangereux se produisent dans les tissus conjonctifs sous-cutanés, dans la musculature, les intestins et dans d'autres organes. La coagulation du sang est retardée. Des carences peuvent apparaître à la suite d'une prise d'Aspirine, de sulfamides et d'antibiotiques sur une longue durée. Mais le dérangement des fonctions du foie, une production insuffisante de bile, une stase biliaire ou des formes de malabsorption intestinale peuvent aussi causer des carences.

Important

Cette vitamine est exclusivement du domaine du médecin.

Maladies favorisées par une carence en vitamine K

Hémophilie, éventuellement les engelures.

Présence de vitamine K

Luzerne, épinards, choux, orties.

Vitamine B_1
(aneurine, thiamine)

fonctions	signes de carence
Métabolisme La vitamine B_1 contribue à la formation du ferment carboxylase, important dans le métabolisme des hydrates de carbone. Elle agit aussi en tant que ferment décomposant les acides et contribue ainsi au maintien de l'équilibre acido-basique.	**Métabolisme** Dégradation insuffisante de l'acide pyruvique et de l'acide lactique; ceci signifie que les courbatures durent longtemps. Accumulation d'acides dans le sang et les réserves alcalines dans le sang et les tissus sont faibles. Formation d'œdèmes, dérangements du cycle de l'acide citrique, augmentation du taux d'œstrogènes (féminisation des hommes), inflammations des glandes mammaires, saignements extramenstruels.
Système nerveux Elle soutient la respiration cellulaire du système nerveux et agit comme protecteur de la fonction normale. Protège des inflammations des nerfs.	**Système nerveux** Lésions du système nerveux central et périphérique, inflammations des nerfs périphériques, épuisement, température corporelle abaissée, maux de tête, migraines, insomnies, transpiration, fourmillements, suppression des réflexes des tendons. Sciatique, névralgies. Dents sensibles au chaud et au froid.
Yeux Soutient la fonction de la vue.	**Yeux** Inflammations des nerfs derrière le bulbe oculaire; tremblement des yeux, œdème papillaire, saignements de la rétine.
Cœur La vitamine B_1 soutient la fonction normale du cœur. Elle protège le cœur d'un agrandissement trop important et en phases de forte mise à contribution.	**Cœur** Douleurs au cœur ou/et dyspnée lors de faibles efforts, palpitations, troubles du rythme cardiaque, augmentation de la fréquence, hypertrophie cardiaque.
Tractus gastro-intestinal Elle contribue à la formation du suc gastrique et soutient les fonctions gastro-intestinales.	**Tractus gastro-intestinal** Manque d'appétit, aversion pour les hydrates de carbone, perte de poids corporel, manque de suc gastrique, atonie gastro-intestinale, troubles de la résorption, constipation chronique, vomissements, crampes.

En général
Influence la vitalité et le temps de récupération à la suite d'efforts physiques.

En général
Manque d'entrain, d'envie et de vitalité, manque d'appétit, fatigue, ralentissement du pouls, fortes envies de douceurs.

Etat psychique
Contribue à régler des processus psychiques.

Etat psychique
Humeur changeante, dépressions, apathie psychique, perturbations de la pensée, perte de mémoire.

Muscles
Contribue à la transmission des impulsions nerveuses aux muscles.

Muscles
Atonie et paralysie musculaire dues à la dégénérescence du système nerveux central et périphérique. Réduction de la masse musculaire, manque de force dans les avant-bras t les mollets (difficulté à se relever d'une flexion des genoux), crampes. Les muscles des mollets perdent leur tonus.

Grossesse
Absolument nécessaire pour un développement sain du fœtus.

Grossesse
Formation de bec-de-lièvre durant la grossesse.

Interactions

En consommant des hydrates de carbone en grande quantité (douceurs, limonades, sucre dans thé et café), on a besoin de plus de vitamine B_1. Il en va de même en consommant de l'alcool tous les jours. En combinaison avec la vitamine B_6, la vitamine B_1 aide en cas de mal des transports. Lors de carence en vitamine B_1. le traitement à la digitale (médicament cardiaque) échoue, ce qui peut conduire à des défaillances circulatoires. En cas de taux sanguin élevé en acide urique, des doses élevées de vitamine B_1 peuvent déclencher la goutte.

Destructeurs de vitamine B_1

Sucre raffiné, alcool

Besoins quotidiens

On l'estime à 1 à 2 mg.
A des fins thérapeutiques: 10 à 200 mg.

Sources de vitamine B_1

Riz complet, germes de blé, germes de riz

Vitamine B_2

(riboflavine)

fonctions	signes de carence
En général La vitamine B_2 participe à la dégradation des graisses, des protéines et des hydrates de carbone. Elle est le constituant d'une série d'enzymes transportant de l'oxygène et assurant ainsi la respiration cellulaire et l'oxydation. La vitamine B_2 participe au métabolisme du corps tout entier et se retrouve donc dans toutes les cellules.	**En général** Diabète, fatigue, cœliakie (incompatibilité au gluten). Les cheveux sont très gras, les ongles durs, cassants et ternes (cœlonchie). Surveiller en même temps la vitamine A et les acides gras essentiels. Crampes des mollets et des muscles.
Etat psychique Elle contrôle le comportement psychique sain.	**Etat psychique** Modification de la personnalité avec tendance à la dépression, l'hypocondrie et l'hystérie.
Yeux Elle participe au processus de la vue où elle soutient surtout la fonction de la lentille et de la conjonctive. Favorise la vue crépusculaire.	**Yeux** Yeux enflammés, photophobie, héméralopie, crampes des paupières, yeux fatigués, douloureux, larmoyants, sensation de corps étrangers (comme du sable sous les paupières). Vue floue, formation de taches et de trouble sur la cornée, conjonctivite, la paupière inférieure pend, paupières purulentes. Avec l'âge, les yeux se réduisent, c'est-à-dire que les paupières se rassemblent dans les coins des yeux. Conjonctivite chronique, inflammation de la rétine, cataracte.
Sang Elle participe à l'élaboration du colorant sanguin (utilisation du fer), en fixant le fer dans l'hémoglobine.	**Sang** Anémie; le fer n'est plus fixé dans le sang.

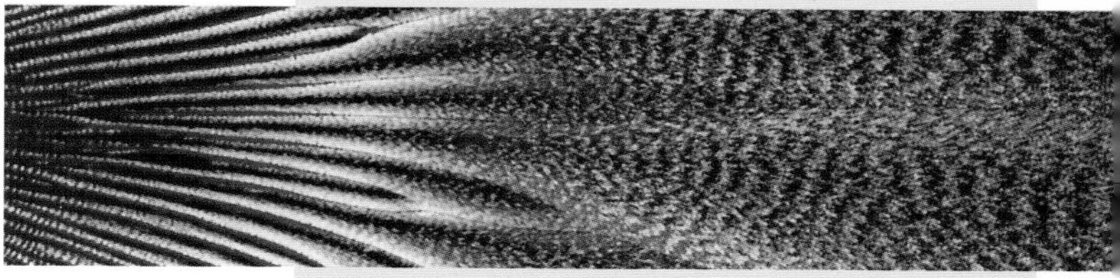

Peau Elle soutient la fonction, contrôle l'irrigation sanguine (ferments respiratoires) et augmente l'état de tension dans la peau.	**Peau** Peau squameuse autour des yeux, du nez et des lèvres. Les pores s'épaississent et s'enflamment. Formation de comédons, durcissement des glandes sébacées sur le nez et les joues, rougeur et desquamation générale de la peau, tendance à la couperose. De fins plis verticaux se forment sur la peau.
Muqueuses Responsable du bon fonctionnement des muqueuses et de leur régénération, en commun avec la vitamine A et F et d'autres nutriments.	**Muqueuses** Inflammations des muqueuses de la bouche, souvent accompagnées d'une langue rouge pourpre, douloureuse et déchirée. Larynx sec, déglutition difficile. Fréquentes inflammations du vagin chez la femme et du scrotum chez l'homme. Inflammations chroniques de l'intestin grêle, ulcères d'estomac.
Lèvres Associée au fer, responsable des contours nets et de la formation des lamelles labiales.	**Lèvres** Les lèvres deviennent lisses, brillantes, de couleur pourpre à bleutées. La séparation entre lèvres et peau s'efface; des fissures croûteuses apparaissent aux commissures des lèvres. Des rides verticales se forment à partir des lèvres et la bouche devient typiquement pincée. La lèvre supérieure s'amincit puis disparaît totalement.
Hormones Elle est nécessaire à la formation des hormones stéroïdes et contrôle le cycle sexuel.	

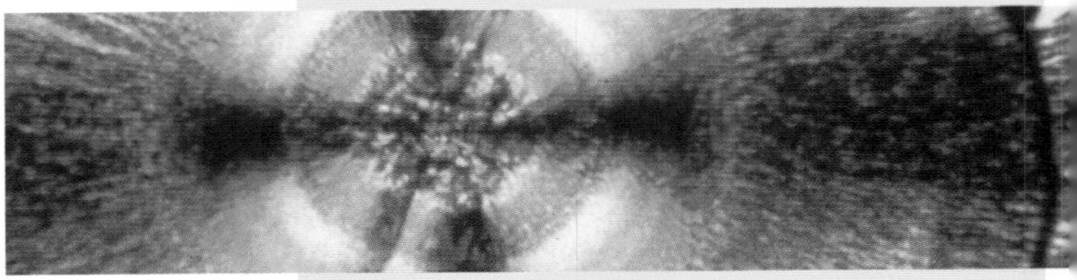

Grossesse

Chez le fœtus, la vitamine B_2 est responsable pour une bonne formation des yeux, du palais, ainsi qu'une formation complète des bras et jambes. Elle veille à ce que les orteils ne soient pas réunis (syndactylie).

Grossesse

Palmature des orteils chez le bébé.

Enfants

La vitamine B_2 favorise la croissance et le développement.

Enfants

Stagnation du poids corporel et états de faiblesse des nourrissons; arrêt de croissance chez les enfants.

Maladies de carence

Aucune des maladies mentionnées n'est spécifique ou caractéristique à elle seule lors d'un manque de vitamine B_2. Elles apparaissent plutôt en combinaisons variables. Même après un apport restreint prolongé en vitamine B_2, les manifestations graves sont rares, car les besoins sont en partie couverts par la synthèse bactérienne dans l'intestin. Comme la nourriture normale contient toutes les vitamines du groupe B, d'autres symptômes de carence des vitamines B apparaissent. Sous certaines conditions, des maladies de carence en vitamine B peuvent être provoquées à titre expérimental.

Important

Est considérée comme vitamine sûre. A part une coloration plus jaune de l'urine, d'autres effets indésirables ne sont pas connus.

Destructeurs de vitamine B_2

Lumière du soleil, bicarbonate de sodium ajouté à la nourriture. En cas de consommation régulière de boissons à la quinine (Tonic Waters et les boissons amères qui contiennent de la quinine responsable de l'amertume), les besoins en vitamine B_2 sont plus élevés, la quinine étant son antagoniste. L'Institut de médecine préventive et sociale de Bâle a constaté, au cours d'une étude, que les personnes fumant plus de 30 cigarettes par jour sont nettement sous-approvisionnées en vitamine B_2.

Sources de vitamine B_2

Lait, levure alimentaire et de bière, foie, germes.

Intéressant

Au cours de la production de bière, la levure transmet la plus grande partie de vitamine B_2 à la bière.

Besoins

On estime le besoin quotidien à 1,5 mg. A des fins thérapeutiques, on peut utiliser des doses allant de 10 à 100 mg. Des essais avec des doses de 500 fois le besoin quotidien n'ont démontré aucun risque.

Nicotinamide

(niacine, vitamine PP, vitamine B_3

fonctions	signes de carence
En général Le corps peut former la nicotinamide à partir de l'acide aminé tryptophane, pour autant que la nourriture comprenne suffisamment de protéines, de vitamine B_2, B_6 et d'acide folique. La nicotinamide est importante pour la formation des hormones des glandes génitales, surrénales et thyroïdes.	**En général** Nervosité, perte de mémoire, manque d'énergie, fatigue, tendance à la panique, insomnie, diabète, hypercholestérolémie.
Psychisme La nicotinamide est indispensable pour la santé psychique.	**Psychisme** Mauvaise humeur, angoisses, perturbations, manque d'énergie pour surmonter des difficultés. Dépressions, pensées suicidaires, schizophrénie.
Système nerveux Elle assure un bon fonctionnement du système nerveux.	**Système nerveux** Modifications de l'électroencéphalogramme (cerveau). Douleurs dans les bras et les jambes, troubles de la démarche, paralysies, faiblesse nerveuse.
Etat psychique Contrôle des métabolismes des graisses, des acides aminés, des hydrates de carbone et de l'énergie et influence sur le métabolisme du cholestérol. Formateur des co-enzymes NAD et NADH qui participent à au moins 200 réactions enzymatiques.	**Etat psychique** Modifications des processus métaboliques.
Foie La nicotinamide est nécessaire à l'élaboration du parenchyme du foie, afin que celui-ci puisse inactiver les hormones sexuelles (cycle menstruel).	**Foie** Lésion du tissu hépatique, intoxications à l'arsenic et au plomb.
Tractus gastro-intestinal Elle est importante pour la production de l'acide	**Tractus gastro-intestinal** L'estomac ne produit pas assez d'acide chlor-

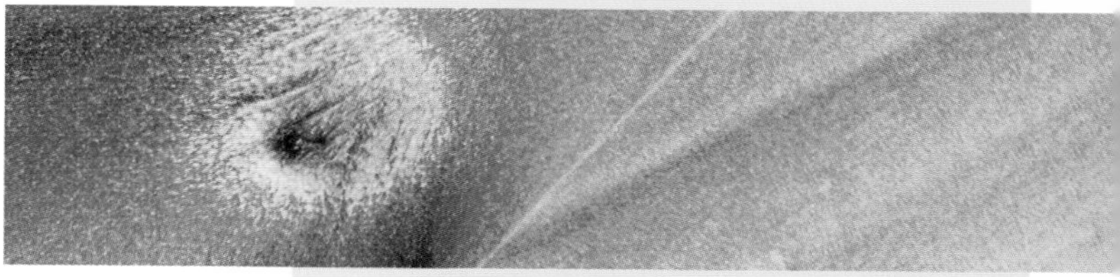

chlorhydrique de l'estomac et contrôle la digestion.

hydrique et des gastrites s'ensuivent. Dans un premier temps, la constipation alterne avec des diarrhées. Mais à la longue, une diarrhée persistante pouvant même contenir du sang s'installe. Inflammation de l'intestin grêle et du gros intestin, Dyspepsies (troubles de la digestion avec renvois, brûlures).

Langue

Pour un milieu buccal sain.

Langue

En cas de faible carence en nicotinamide, une couche blanche, floconneuse, s'installe sur la langue, produisant une mauvaise haleine et pouvant aller jusqu'à une langue très rouge et fendillée. Un forte carence provoque des ulcérations de la langue.

Peau

La nicotinamide maintient notre peau jeune et élastique. Avec l'acide para-aminobenzoïque, elle améliore la sensibilité au soleil.

Peau

Rougeurs de la peau ressemblant à des coups de soleil et qui se renforcent avec le soleil; érythème (rougeur) rouge foncé sur les parties de la peau exposées au soleil. Par la suite, la peau devient foncée, sèche et crevassée. Aux coudes et genoux, la peau paraît grise et crevassée, souvent aussi enflammée. Le mains paraissent vieilles et grises (mains des blanchisseuses). En général, la peau est sèche comme du cuir et prématurément vieillie. La formation d'eczémas et d'engelures est aussi possible.

Irrigation sanguine

La nicotinamide règle l'irrigation sanguine.

Irrigation sanguine

Tête: vertiges, maux de tête fréquents, troubles de la mémoire. Troubles circulatoires dans les extrémités.

En général

En administrant la nicotinamide sous forme de niacine (acide nicotinique), des rougeurs de la peau et des bouffées de chaleur apparaissent, comme durant la ménopause.

Important

La niacine est une substance à risque.

Maladie de carence typique

La pellagre se manifeste avant tout dans les régions où le maïs est le principal aliment (faible teneur en acide nicotinamide et en tryptophane). Pour désigner la pellagre, on dit aussi intoxication au maïs.

Potentiel thérapeutique

Il est prouvé que la nicotinamide facilite les toxicomanes à se libérer de leur manie. Une combinaison de nicotinamide, C et B_{15} réduit les douleurs du sevrage.

Intéressant

Certaines formes de schizophrénie peuvent être traitées avec succès par des doses élevées de nicotinamide (5 à 50 mg). Un taux élevé de cholestérol peut être abaissé par l'administration de 1 à 3 mg de nicotinamide par jour. Depuis peu, on l'administre également à la suite d'infarctus du myocarde, car elle protège des troubles du rythme cardiaque.

Besoins

On estime les besoins quotidiens à 1,6 à 1,8 mg. Selon des résultats de recherches américaines, les besoins journaliers d'un adulte se situeraient entre 12 et 18 mg. En cas de pellagre, on administre des doses entre 300 et 400 mg. En cas de maux de tête, la dose peut être augmentée à 1 g.

Vitamine B_5

(pantothénate de calcium, panthénol, acide pantothénique)

fonctions	signes de carence
Métabolisme, en général La vitamine B_5 assure l'équilibre métabolique de la peau et des tissus. Elle participe à la transformation des graisses et des hydrates de carbone en énergie.	**Métabolisme, en général** Fatigue, manque d'appétit, maux de tête, constipation, tachycardie, sensibilité à l'insuline, crampes musculaires, dépressions, insomnies, modification du caractère, plaies guérissant mal. Mauvaise mémoire.
Hormones/surrénales La vitamine B_5 participe à l'élaboration des hormones du cortex surrénalien, favorise le bon fonctionnement des glandes surrénales ainsi que de la glande thyroïde. Elle empêche l'élimination du calcium des tissus osseux.	**Hormones/surrénales** Fonction affaiblie du cortex surrénalien, production hormonale perturbée, avec arthrite rhumatoïde, goutte, problèmes de ménopause avec ostéoporose, arthrose.
Système nerveux Elle favorise les fonctions du système nerveux.	**Système nerveux** Faiblesse nerveuse, troubles neuromoteurs, ataxie et tremor des mains (mouvements perturbés et tremblements des muscles), crampes musculaires et, passagèrement, réflexes augmentés.
Irrigation sanguine La vitamine B_5 règle l'irrigation sanguine.	**Irrigation sanguine** Fourmillements dans les pieds, les jambes, les mains et les bras avec engourdissements fréquents; brûlures aux plantes des pieds, pieds et mollets (signe probable: ces personnes sortent leurs pieds hors du lit la nuit).
Sang La vitamine B_5 participe à la formation de gammaglobulines ainsi qu'au métabolisme des hydrates de carbone, régulation du taux de sucre sanguin.	**Sang** Réduction de la gammaglobuline (protéine), renforcement de la sensibilité à l'insuline et ainsi augmentation du risque d'infections. Sédimentation augmentée, hypoglycémie constante, hypotonie.

Tractus gastro-intestinal

La vitamine B_5 veille à une bonne motilité et élasticité des intestins. Elle contribue à l'élaboration de nouveaux tissus sains et protège les muqueuses des infections.

Tractus gastro-intestinal

Inflammations des muqueuses de l'estomac, de l'intestin grêle, du gros intestin. Manque de suc gastrique, ballonnements, péristaltisme abaissé, disparition des cryptes du gros intestin, affaissement des villosités de l'intestin grêle, paralysie de l'intestin grêle à la suite d'opérations; ulcères d'estomac et de l'intestin.

Voies respiratoires

Protection des muqueuses contre les infections et les allergies. Contribue à l'élaboration de tissus sains.

Voies respiratoires

Disposition aux infections augmentée, refroidissements durant longtemps, comme p. ex. bronchites, rhume des foins, asthme.

Cheveux

Favorise la croissance des cheveux et protège du grisonnement précoce.

Cheveux

Perturbations de la croissance des cheveux, éventuellement grisonnement précoce, souvent en combinaison avec un manque d'autres vitamines.

Système lymphatique

Contribue au fonctionnement de ce système.

Système lymphatique

Stases lymphatiques avec tendance à se sentir gonflé. Légère tuméfaction des ganglions lymphatiques.

Chez la femme

Protection du fœtus contre des lésions au cerveau et aux yeux.

Chez la femme

Accouchements prématurés, troubles de la ménopause, inflammations du vagin et du col de l'utérus, seins crevassés, crampes menstruelles.

Chez l'homme

Assure la mobilité des spermatozoïdes.

Chez l'homme

Stérilité, manque de mobilité des spermatozoïdes.

Commerce

Dans le commerce, on propose généralement le pantothénate de calcium ou le dexpanthénol.

Important

La vitamine B_5 est une vitamine sans risques.

Mécanisme d'action

L'acide pantothénique est un constituant de la co-enzyme A, une substance-clé dans l'ensemble du métabolisme énergétique et présent dans chaque cellule vivante. Le système immunitaire en a besoin pour la production d'anticorps.

Interactions

Sans vitamine B_5, la choline, l'acide para-aminobenzoïque, ne peuvent pas être mis à profit par l'organisme. L'acide pantothénique contribue à la fixation de la vitamine B_6. En cas de manque de vitamine B_5, les reins éliminent davantage de vitamine B_6.

Besoins

Les besoins quotidiens sont estimés à 6 à 10 mg. A des fins thérapeutiques, on utilise entre 200 à 1000 mg par jour (constipation).

Vitamine B_6
(pyridoxine)

fonctions	signes de carence
Métabolisme Règle le métabolisme des acides gras non saturés. Contribue à maintenir à niveau normal le taux de cholestérol. En tant que co-enzyme, influence le métabolisme des acides aminés. Ce dernier rend possible la transformation de protéines en hydrates de carbone. Soutient les fonctions du foie et des muscles.	**Métabolisme** Tendance à l'adiposité, mauvaise haleine, vertiges, léthargie, manque de concentration, nausées matinales, manque de sang, taux sanguins élevés en acide urique et en urée, faiblesse, voire dysfonction du muscle obturateur de la vessie. Inflammations de la muqueuse pancréatique; diabète; incapacité de se souvenir des rêves.
Nerfs Elle assure le fonctionnement du système nerveux central. Régularise le taux sanguin de magnésium.	**Nerfs** Diminution de la couche de myéline (substance entourant les fibres nerveuses) des nerfs périphériques. Timidité, contractions musculaires au visage ou aux bras et aux jambes. Secousses en s'endormant, troubles du sommeil, troubles dépressifs, maux de tête aigus au dessus des sourcils et aux tempes, irritabilité, nervosité extrême, insensibilité au bout des doigts et des orteils, manifestations de paralysie à gauche, débutant dans la jambe de gauche, crampes de quelques secondes. Crampes épileptiformes, chorée mineure (danse de Saint-Guy).
Peau Importante pour des fonctions optimales de la peau par régulation du métabolisme des acides aminés et des graisses.	**Peau** Peau squameuse, dermatite séborrhéique (eczéma dans les sourcils et sur le cuir chevelu), éruption cutanée rouge dans la région génitale, prurit anal, peau sèche et crevassée aux mains. Typique: rougeurs sur les nœuds du dos de la main; la peau peut être douloureuse. Les lèvres pèlent et présentent des modifications de la peau.

Sang

La vitamine B_6 contribue au développement des érythrocytes; elle règle le taux sanguin du magnésium et la pression sanguine.

Sang

Hémorroïdes: troubles du métabolisme du magnésium. Anémie microcytaire.

Système immunitaire

Elle joue un rôle important dans le système de défense et contribue à la formation d'hormones du cortex surrénalien.

Système immunitaire

Déficience immunitaire, p. ex. cystites récidivantes. Important pour le système immunitaire des patients dialysés.

Equilibre

Joue un rôle dans le système de l'équilibre.

Equilibre

Mal des transports (compléter par vitamines B_1 et C); syndrome de Menier (bourdonnements d'oreilles, etc.), compléter par de la vitamine C.

Chez l'homme

La vitamine B_6 contribue à une bonne puissance sexuelle.

Chez l'homme

Impuissance partielle (compléter avec des acides gras essentiels).

Chez la femme

Syndrome prémenstruel.

Grossesse

Responsable pour un développement intellectuel sain de l'enfant.

Grossesse

Nausées, vomissements, anémie, maux de tête, nervosité, crampes dans les pieds et les jambes, surtout la nuit, hémorroïdes, œdèmes (subits, dangereux).

Chez les enfants

Contribue à la croissance.

Chez les enfants

Crampes épileptiformes en cas d'alimentation au lait en poudre.

Intéressant

Les calculs rénaux oxaliques sont causés par un manque de vitamine B_6. Cette vitamine facilite le sevrage du lait maternel. A hautes doses, elle arrête la lactation sans problèmes.

Interactions

Les vitamines B_6 et B_2 sont interdépendantes. La vitamine B_6 est plus vite éliminée en cas de manque de vitamine B_5.

Important

La vitamine B_6 est une vitamine à risque. Des effets toxiques peuvent se manifester lors de dosages entre 200 et 500 mg. La pyridoxine peut déclencher une acné vulgaire ou déclencher, voire renforcer, des érythèmes sous forme d'acné. Des doses élevées peuvent provoquer des taux sanguins anormalement élevés en SGOT (une transaminase). La libération de prolactine est inhibée. La pyridoxine stimule la décarboxylation du lévodopa (médicament antiparkinsonien) et peut diminuer son effet thérapeutique si un inhibiteur de la décarboxylase n'est pas administré en même temps.

Destructeurs de vitamine B_6

Les pilules contraceptives augmentent fortement les besoins en vitamine B_6. Consommez donc des noix de pecan.
Le surdosage d'hydrazides et de semicarbazides cause un manque aigu de vitamine B_6. Symptômes: graves crampes musculaires et convulsions.
En cas de traitement de longue durée avec de l'hydrazide de l'acide isonicotinique. Provoque des névrites réactionnelles, en particulier dans les extrémités du bas.
Par la stérilisation au cours de la fabrication de conserves, la vitamine B_6 est totalement détruite. En congelant les légumes, ils perdent une partie de leur teneur en vitamine B_6.

Sources de vitamine B_6

Noix de pecan, hareng, orge et blé.

Biotine
(facteur de la peau, Vitamine B_8, vitamine H)

fonctions	signes de carence
En général, métabolisme La biotine contribue à l'élaboration des enzymes pour la décomposition des hydrates de carbone, ainsi qu'à l'élaboration de diverses protéines, p. ex. la glycogénase. Elle participe à la mitose et à la fixation du calcium dans les cellules musculaires.	**En général, métabolisme** Fatigue, léthargie, douleurs musculaires, irritabilité nerveuse, dépressions, maux de tête, diminution des hémoglobines, taux sanguin élevé en cholestérol. Tendance aux pneumonies.
	Langue Recouverte d'une couche tachetée jaune avec coloration violacée. Disparition des papilles de la langue et de la perception du goût.
Peau Elle est responsable de la santé de la peau et des muqueuses.	**Peau** Desquamation fine, par la suite tachetée, avec inflammations aux bras, aux mains et aux jambes. La peau est très sèche, la production de sébum est interrompue. La peau devient grisâtre, de même que les muqueuses qui souffrent parallèlement d'une mauvaise irrigation sanguine.
Peau/cheveux Elle protège les cheveux du grisonnement. Elasticité des ongles.	**Peau/cheveux** Formation de pellicules et de croûtes sur le cuir chevelu, accompagnée de forte chute des cheveux. Ongles cassants.
Nourrissons Développement normal de la force corporelle. Contrôle de la tenue de la tête.	**Nourrissons** Troubles du développement, faiblesse, manque de contrôle dans les mouvements de la tête. Erythrodermie desquamative.

Important

La biotine est considérée comme sûre. Une flore intestinale saine nous approvisionne en biotine en suffisance. Le nom de biotine a remplacé la désignation vitamine B8.

Destructeurs de biotine

Le blanc d'œuf cru peut se fixer à la biotine de manière à ce que cette dernière ne peut plus être résorbée. Le blanc d'œuf cuit n'a aucun effet. Par l'administration d'antibiotiques et de sulfamides, l'approvisionnement par l'organisme peut aussi être dérangé, respectivement empêché. Les personnes souffrant de fréquentes diarrhées peuvent présenter un manque de biotine. Il en est de même en cas de production insuffisante de suc gastrique et chez des personnes à l'estomac engorgé de mucus.

Besoins

On estime les besoins quotidiens à 25 à 300 mg.

Sources de biotine

Foie de porc et de bœuf, son de riz, levure alimentaire, fèves de soja. Le corps résorbe bien la biotine d'un mélange de maïs et de haricots.

Acide folique
(vitamine B_9)

fonctions	signes de carence
Cellules/muqueuses L'acide folique participe à la mitose de toutes les cellules du corps. Il est responsable de la production de l'acide ribonucléique et désoxyribonucléique des noyaux cellulaires.	**Cellules/muqueuses** Modifications des muqueuses de la bouche et du tractus digestif, ce qui provoque des diarrhées et des troubles de résorption. Syndrome de malabsorption.La langue est rouge fraise, lisse et présente une surface luisante et molle. Les papilles disparaissent.
Sang Il participe à la formation du sang et favorise l'irrigation sanguine des tissus.	**Sang** Anémie mégalocytaire avec fatigue, pâleur, vertiges, dépressions, pigmentation de la peau gris-brun, dyspnée.
Système immunitaire Il favorise la production d'anticorps qui contribuent à empêcher des infections. Il contrôle les processus de guérison.	**Système immunitaire** Diminution du tissu lymphatique (thymus, ganglions lymphatiques, rate), production réduite d'anticorps.
Cheveux/croissance Il contrôle la croissance des cheveux et des ongles des doigts et des orteils.	**Cheveux/croissance** Chute des cheveux, calvitie chez l'homme; on suppose que le psoriasis et les eczémas sont en rapport avec le métabolisme de l'acide folique.
Grossesse Durant la grossesse, il protège le fœtus de malformations et l'enfant de la mort.	**Grossesse** Saignements durant la grossesse, fausses couches, naissances prématurées, mortalité infantile élevée, Le nouveau-né est déjà anémique. Des taches de grossesse désagréables se forment. Spina bifida du bébé.
Chez la femme L'acide folique est responsable d'une menstruation régulière.	**Chez l'enfant** Modifications du squelette.
Chez l'homme Favorise la croissance des spermatozoïdes.	

L'acide folique – un risque

L'acide folique est une vitamine à risque, surtout à dose élevée. Les réactions allergiques sont rares. En revanche, une épilepsie peut être renforcée. A cause du danger de myéloses funiculaires, l'acide folique ne doit être administré en cas d'anémie pernicieuse qu'en combinaison avec la vitamine B_{12}. Au cours d'essais sur animaux, des doses de 15 mg par jour ont provoqué des défaillances rénales. Après un mois, des troubles neurologiques et symptômes similaires se sont installés.

Interactions

L'acide folique et la biotine sont responsables de la bonne utilisation de la vitamine B_5. Les enfants dont les mères ont manqué de vitamine B_{12} ou d'acide folique durant la grossesse ont des glandes du thymus très peu développées. Ces dernières jouent un rôle important dans le système immunitaire. En outre, le manque de fer peut provoquer un manque d'acide folique, une enzyme responsable de l'utilisation de l'acide folique étant dépendante du fer.

Destructeurs d'acide folique

Antibiotiques, sulfamides et barbituriques, ainsi que les anti-malariens methotrexate et pyrimenthomine peuvent éliminer l'acide folique des combinaisons enzymatiques. Les pilules contraceptives sont de puissants destructeurs de l'acide folique. Dès que l'on absorbe ce type de médicament, les besoins en acide folique augmentent. Les désagréables taches de grossesse peuvent même apparaître. L'acide folique est sensible à la lumière solaire et à l'air.

Besoins

Les besoins quotidiens en acide folique se situent entre 1 et 2 mg. Les personnes dotées d'une flore intestinale saine peuvent synthétiser l'acide folique elles-mêmes.

Sources d'acide folique

Foie de veau et de bœuf, germes de blé, asperges et épinards.

Vitamine B_{12}
(cyanocobalamine, cobalamine)

fonctions

En général
La vitamine B12 est responsable de l'élaboration des protéines et des acides ribonucléiques.

Sang
Responsable de la production des globules rouges.

Tractus gastro-intestinal
Formation du suc gastrique. Dans le suc gastrique de l'homme sain se retrouve la facteur intrinsèque qui lie la vitamine B12 et permet ainsi sa résorption. Ce facteur intrinsèque protège en même temps la vitamine B12 contre les attaques des bactéries intestinales. Elle a besoin d'une muqueuse gastrique saine.

Nerfs
Elle est importante pour la formation de la myéline (substance enveloppant les fibres nerveuses).

signes de carence

En général
Comme pour l'acide folique, l'élaboration des protéines et des acides ribonucléiques est dérangée.

Sang
Manque d'hémoglobine, anémie pernicieuse (perturbation de la maturité des globules rouges). S'ensuivent fatigue, dyspnée, tachycardie, coloration jaune clair de la peau.

Tractus gastro-intestinal
Manque d'appétit, nausées , diarrhées, maux de ventre. La muqueuse buccale devient pâle à jaunâtre et une inflammation douloureuse de la muqueuse et de la langue apparaît. Disparition des papilles, coloration rose clair de la langue, brûlures sur la langue, douleurs en buvant des boissons chaudes ou froides.

Nerfs
Perturbation du contrôle de l'intestin et de la vessie, maux de tête, inflammations des terminaisons nerveuses, raideur du dos et douleurs, piqûres apparemment anodines dans les mains et les pieds, démarche difficile (traîne-savates) due à la dégradation de la myéline. En cas de manques graves, la moelle épinière se dégénère et des paralysies irréversibles s'ensuivent. Le système nerveux périphérique et central dégénère; paralysie unilatérale de la musculature faciale.

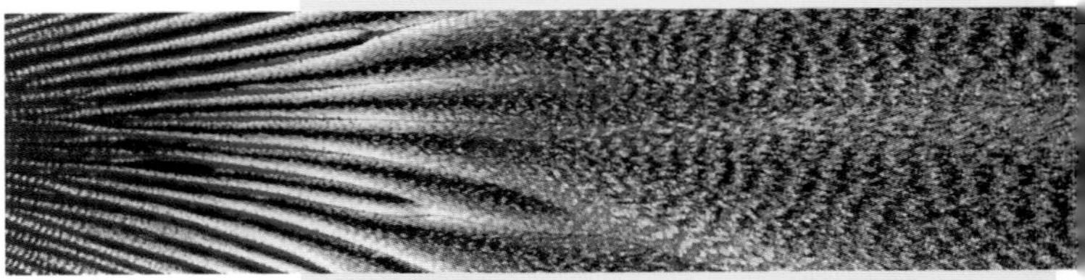

Cellules/corps Elle influence la formation de la matière cellulaire et de ce fait aussi la régénération des cellules, l'élaboration des protéines et des processus importants entre les cellules.	**Cellules/corps** Il en résulte une odeur corporelle désagréable.
Etat psychique Elle contribue à régler l'équilibre psychique.	**Etat psychique** Diminution de l'entrain, humeur dépressive, hypersensibilité, psychoses apparaissant comme maniaque et dépressif, ainsi que schizoaffectif.
Enfants Augmente la croissance, le bien-être général, la force corporelle et l'appétit chez des enfants à alimentation unilatérale. On a également observé de meilleurs résultats scolaires.	
Chez la femme La vitamine B12 favorise une menstruation régulière.	**Chez la femme** Ecoulement de liquide ou odeur nauséabonde du vagin; mauvaise conception.
Chez l'homme La vitamine B12 contrôle le nombre de spermatozoïdes.	**Chez l'homme** Nombre insuffisant de spermatozoïdes.

Important

La vitamine B_{12} est considérée comme vitamine sûre.

Important pour les végétariens

L'alimentation végétarienne ne comporte que de très petites quantités de vitamine B_{12} utilisable, en particulier si l'on renonce à consommer des produits laitiers et des œufs. Dans ces cas, il est conseillé d'ingérer chaque semaine une dose de vitamine B_{12}.

Interactions

En cas de manque d'acide folique, renforcement d'un développement de myélose funiculaire. Maladies de la rétine chez les diabétiques. En combinaison avec la vitamine B_1, névralgies du trijumeau et polynévrite. Avec des bioflavonoïdes, dilatations des capillaires.

Destructeurs de vitamine B_{12}

Alcool, tablettes d'œstrogène, somnifères, antibiotiques, antidiabétiques du type guanidine.

Conseil

La réduction des graisses dans l'alimentation est un moyen d'améliorer la résorption de vitamine B_{12}. Les aliments comportant une forte teneur en graisses empêchent la formation du facteur intrinsèque nécessaire pour l'absorption de la vitamine B_{12}. Cette malabsorption de la vitamine B_{12} nuit non seulement au système immunitaire par une mise à disposition insuffisante de vitamine B_{12} pour le transport de l'acide folique, mais favorise aussi l'anémie pernicieuse.

Cette vitamine est un fortifiant idéal en cas d'états de faiblesse des personnes âgées, ainsi que pour une convalescence rapide à la suite d'une grave maladie.

Besoins

Les besoins journaliers ne sont pas encore connus. On les estime entre 1 à 3 mg. Une grande partie des besoins journaliers est utilisée par des bactéries dans l'intestin. La vitamine B_{12} est stockée principalement dans le foie, éliminée par la bile et résorbée à nouveau.

Sources de vitamine B_{12}

Foie de bœuf, chair de crabe, saumon, sardines, légumineuses. Le foie cuit est pauvre en vitamine B_{12}, alors que le même foie grillé en contient davantage. On évitera de laisser reposer à la lumière du jour les viandes en question, car leur teneur en vitamines en devient amoindrie par la lumière. La vitamine B_{12} étant soluble à l'eau, on devrait utiliser l'eau de cuisson pour des potages, sauces, etc.

Vitamine C
(acide ascorbique)

fonctions	signes de carence
En général/métabolisme «Bonne à tout faire», présente dans tout l'organisme. Elle intervient dans le métabolisme cérébral et musculaire. Contribue à l'élaboration hormonale des corticostéroïdes.	**En général/métabolisme** Diminution du bien-être et rendement réduit, épuisement, fatigue rapide, fatigue printanière, manque d'appétit.
Peau Constitution du tissu de soutien (collagène) de la peau.	**Peau** Peau très fine (parcheminée). Formation d'une multitude de rides minuscules (aspect de papier de soie chiffonné). Plaies guérissant mal. Les cicatrises d'opérations se ferment mal et s'ouvrent à nouveau.
Squelette Contribue à la formation du collagène des os.	**Squelette** Fractures guérissant mal, formation insuffisante du cal.
Sang Bonne influence sur la composition des graisses dans le sang, contribue à la maturité des globules rouges, favorise l'utilisation judicieuse du fer. Augmente l'élasticité et la résistance des vaisseaux sanguins (veines).	**Sang** Varices, ulcères variqueux, perméabilité augmentée des capillaires (taches bleues apparaissant sans raison), saignements dans la musculature et douleurs dans les membres. Dyspnée, troubles cardiaques, saignements du nez fréquents en raison de la fragilité des capillaires.
Yeux Soutient le processus de la vue (la lentille nécessite de la vitamine C) et influence (en diminuant) positivement la pression de l'œil.	**Yeux** Enflammés, troubles du cristallin.
Protection La vitamine C est capable de neutraliser bon nombre de toxines de l'environnement et de la nourriture, comme p. ex. les nitrates, la nicotine, les drogues, médicaments, etc. Elle renforce la protection contre les allergies. La vitamine C agit comme antioxydant et capteur de radicaux.	**Protection** Sensibilité aux toxines de l'environnement.

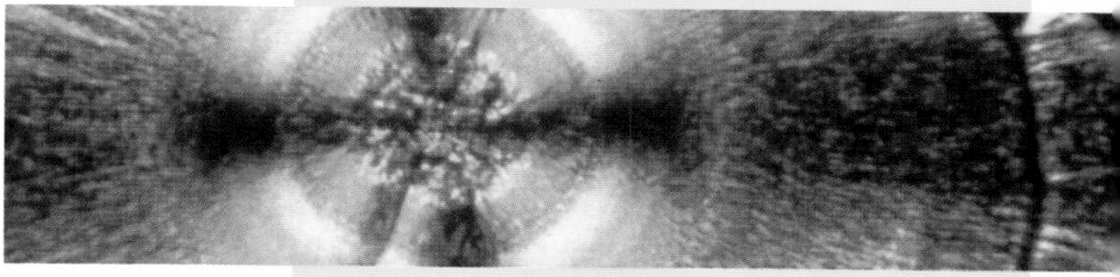

Système immunitaire Elle est responsable de l'ensemble du système immunitaire. Elle protège notre corps du cancer en favorisant la formation d'interféron. Elle augmente la production de lymphocytes en cas de stimulation par des antigènes.	**Système immunitaire** Disposition aux maladies infectieuses.
Tractus gastro-intestinal Elle garantit une fonction gastro-intestinale optimale.	**Tractus gastro-intestinal** Paresse de l'activité gastro-intestinale, douleurs abdominales, maux de tête, constipation, ballonnements, abcès du gros intestin.
Bouche Co-responsabilité pour des gencives saines.	**Bouche** Saignements et tuméfactions des gencives, infections fréquentes, gencives et dentine molles et poreuses, formation de poches dentaires, parodontose, inflammation à la racine des dents.
Grossesse Importante pour un développement mental sain du fœtus.	**Grossesse** Taux d'histamine plus élevé.
Chez l'homme Formation de spermatozoïdes intacts.	**Chez l'homme** Spermatozoïdes agglutinés et collés.
Enfants Croissance harmonieuse, bonne formation et disposition dentaire.	**Enfants** Anémie et troubles de la croissance. Mauvaise disposition des dents, retard dans la formation des dents.

Maladie de carence/le scorbut

- Lenteur marquée, manque d'entrain, épuisement, fatigue, faiblesse, manque de concentration.
- Réactions du foie.
- Saignements de la peau, des muqueuses et des muscles. Fortes hémorragies des gencives et modifications des dents (elles bougent ou tombent), accompagnées d'anémie. Agrandissement du cortex surrénalien, augmentation de la tendance aux fractures, saignements subpériostaux.
- scorbut des enfants, maladie de Möller-Barlow.
- dosage élevé pour enfants: 20 mg par kg de poids corporel.

Destructeurs de vitamine C

Une cigarette détruit 25 mg de vitamine C. Pour cette raison, tant de fumeurs ont de mauvaises gencives. Prednisone (cortisone) et Butazolidine sont déjà mieux tolérés par l'organisme avec 1 g de vitamine C. La pilule contraceptive est un autre destructeur de vitamine C.

Présence de vitamine C

Cerises d'acérola, baies d'argousier, baies de cassis, cynorhodons, paprika, poivrons, pommes de terre jeunes. Par le stockage des fruits et légumes, la vitamine C se dégrade rapidement. De nos jours, la vitamine C est synthétisée à partir de sucre de raisin.

Dosage de la vitamine C pour différentes maladies

Maladies articulaires rhumatismales, polyarthrite, Bechterew
15 à 20 g de vitamine C par jour

Allergies, rhume des foins, asthme, eczémas, urticaires, mononucléose infectieuse (Pfeiffer)
1 g de vitamine C par jour

Inflammations des veines, hernie discale, boursites
3 x 1 g par jour

Hépatite
400 à 600 mg de vitamine C par kg de poids corporel; des patients atteints d'hépatite ont été guéris après 3 à 7 jours. Utiliser de l'ascorbate de calcium.

Cystite
3 g de vitamine C par jour; la guérison dure environ 4 jours. En plus, boire 4 x 2,5 dl de jus d'airelles.

Escarres (décubitus)
0,5 à 3 g de vitamine C par jour

Vésicules de chaleur
1 g de vitamine C par jour

Glaucome
A l'aide de la vitamine C, on peut réduire la pression oculaire. Ceci nécessite des doses de 3 à 4 x 5 à 10 g par jour.

Intéressant

En cas de grand effort sportif, des doses élevées de vitamine C aident à désintoxiquer plus rapidement la teneur en acétone dans le corps. La vitamine C agit comme bon diurétique inoffensif. Cet effet s'installe dès que le corps est saturé de vitamine C.

Conseils et usages possibles

Fringale: La vitamine C réduit l'envie de douceurs.
Retardement du processus de vieillissement: Vous sentez-vous vieillir trop vite? Vous trouvez vos tissus trop mous et flasques, votre peau trop ridée? Une dose quotidienne de 5 g de vitamine C, combinée à 400 mg de vitamine E et une préparation multivitaminée minéralisée vous aideront. En plus, une alimentation riche en protéines et beaucoup de mouvement sont conseillés.
Suites d'un abus d'alcool: 1 g de vitamine C et 1 cuillerée à café de fructose aident le foie à mieux dégrader l'alcool. Ce même mélange aide aussi à surmonter les suites d'une radiographie.
Transpiration des pieds: Si vous souffrez d'une forte transpiration des pieds, absorbez environ 8 g de vitamine C par jour, combinée avec 3 x 100 mg de vitamine B_5.

Recette thérapeutique pour la vitamine C selon Linus Pauling

Vitamine C (acide ascorbique)	100 g
Bicarbonate de sodium	30 g
Sirop de sorbitol 70%	2 dl/200 g
Eau	6 dl/600 ml

Prendre 4 x 1 cuiller à soupe par jour (correspond à 2,5 g de vitamine C).

Besoins

On estime les besoins quotidiens en vitamine C à 75 mg jusqu'à 12 g (selon Prof. Linus Pauling). La vitamine C est une vitamine à fonctions multiples que le corps prend en grande quantité tant qu'il en reçoit. Mais il peut aussi s'accoutumer. Prudence chez les personnes aux reins sensibles et dont l'équilibre acido-basique est dérangé.

Co-enzyme Q_{10}
(ubiquinone)

La co-enzyme Q10 est une substance vitale nouvellement découverte, très intéressante pour l'organisme.

fonctions	signes de carence
Cellule Toute cellule qui travaille a besoin d'énergie. La co-enzyme Q10 veille à ce que chaque cellule reçoive l'énergie nécessaire. En tant que catalyseur, elle se charge du 95% de l'énergie corporelle. Elle est produite dans le foie et notre corps en comprend 0,5 à 1,5 g	**Cellule** Avec l'âge, la capacité de production du co-enzyme Q10 diminue. Si la quantité de cette co-enzyme baisse de 25%, l'organisme devient malade. Avec une baisse de 75%, l'organisme ne peut plus vivre.
Cœur La Q10 est indispensable pour un fonctionnement normal du cœur. Elle réduit les lésions à long terme en cas d'accidents cardiaques et augmente les capacités de défense du tissu cardiaque.	**Cœur** Faiblesse du muscle cardiaque, angine de poitrine, cœur sénile, troubles fonctionnels du cœur.
Système immunitaire Soutient la fonction du système immunitaire.	**Système immunitaire** Augmentation de la disposition aux infections et refroidissements (grippe).

Protection chez les personnes âgées

Comme décrit, la teneur en ubiquinone diminue constamment avec l'âge, tant dans le sang que dans les organes importants. Afin de prévenir une carence latente qui pourrait à la longue conduire à des maladies, on conseille de prendre journellement 4 à 15 mg d'ubiquinone en complément alimentaire.

Sport

Comme la L-carnitine, l'ubiquinone augmente le rendement des sportifs, en particulier pour les sports d'endurance.

Soins de la peau

Avec beaucoup de succès, Q_{10} est utilisé dans les crèmes de soins contre le processus de vieillissement.

Effets indésirables

En cas d'administration orale, même à dose élevée, des effets indésirables ne sont pas connus.

Acide alpha-liponique

fonctions

Métabolisme

L'acide alpha-liponique a une fonction de co-enzyme. Il est nécessaire à l'élaboration des acides carboxyliques et est en étroite relation avec la vitamine B_1 dans ce métabolisme.
Il possède apparemment des propriétés anti-oxydantes.

signes de carence

Métabolisme

En cas de maladies du foie, l'acide alpha-liponique exerce un effet protecteur sur cet organe. Il est aussi utilisé pour le traitement des états de «malaises» en cas de polyneuropathie diabétique.

Intoxications aux métaux lourds

On utilise l'acide alpha-liponique en cas d'intoxications aux métaux lourds, afin de réduire leur résorption dans les organes. L'élimination du cuirre peut être augmentée dans les cas de Morbus Wilson.

Effets indésirables

En cas d'administration orale, même à dose élevée, des effets indésirables ne sont pas connus.

Littérature à ce sujet: Bayer W., Schmidt K.: Vitamine in Prävention und Therapie, Hypokrates Verlag Stuttgart 1991

Acide PAB

(para-aminobenzoate, vitamine B_{10})

fonctions	signes de carence
Métabolisme Il soutient la production enzymatique.	**Métabolisme** Fatigue, anémie après traitements aux sulfamides.
Peau Contribue à la production du pigment de la peau et diminue la sensibilité au soleil. Maintient la peau souple et douce, accélère la cicatrisation en cas de brûlures.	**Peau** Eczémas, brûlures guérissant mal, tendance accrue aux érythèmes solaires, éventuellement allergie solaire.
	Cheveux Cheveux gris en cas de carence simultanée d'acide folique, de biotine et d'acide pantothénique.
Fertilité Favorise la fertilité chez l'homme et la femme.	**Fertilité** Un déficit en acide PAB chez la femme peut empêcher une grossesse.

Important

De nos jours, on utilise souvent l'abréviation PABA (de l'anglais Para-Amino Benzoic Acid).

Maladies favorisées par une carence en acide PAB

Rikettsioses, p. ex. typhus épidémique ou typhus murin, fièvre fluviale du Japon, maladies du collagène, vitiligo (taches blanches).

Intéressant

L'acide PAB est une substance de croissance pour les bactéries. L'acide PAB augmente la tolérance solaire de la peau et protège des érythèmes solaires.

Interactions

Il soutient l'effet de l'acide folique. Il est extrêmement efficace en cas de maladies rhumatismales et semble renforcer l'effet de la cortisone, de manière à pouvoir réduire les doses de cette dernière.

Besoins

On ne peut pas encore estimer les besoins journaliers. Il peut être en partie synthétisé par l'organisme.

Sources d'acide PAB

Levure alimentaire, foie de bœuf, champignons, germes de blé.

L-carnitine

(vitamine BT, vitamine B_{11})

La L-carnitine est un acide aminé qui se trouve toujours dans la phase de recherche. On l'utilise comme substance thérapeutique.

L-carnitine

La L-carnitine se retrouve dans tous les tissus, en particulier dans la musculature striée. Elle est un triméthylbétaïne biosynthétisé par les vertébrés. Elle participe au transport des graisses, à l'oxydation des acides gras des mitochondries, à la trans-méthylisation et à l'action de la thyroxine. On la synthétise à partir de lysine et de méthionine. Pour la transformation de la L-carnitine, la présence de fer, vitamine C, B_6, et nicotinamide sont nécessaires.

Usages thérapeutiques

La L-carnitine réduit le taux sanguin en triglycérides. En outre, elle est très utile en cas de troubles de l'irrigation sanguine, p. ex. en cas de claudication intermittente.
Des acides gras libres et l'acyl-co-enzyme A s'enrichissent et produisent des effets toxiques. En plus, un déficit énergétique s'installe, les graisses ne pouvant pas être brûlées. La L-carnitine protège des infarctus du myocarde en contribuant à éliminer ces acides gras libres.
Elle exerce un effet stimulant sur l'appétit et l'augmentation du poids corporel.

La L-carnitine exerce un effet thérapeutique en cas de dystrophies musculaires. En outre, elle aide à mobiliser les dépôts graisseux en cas d'adiposité. Elle est utile en cas de cétose pathologique (acétone dans le sang).

Aujourd'hui, on l'utilise pour augmenter le potentiel des sportifs. L'effet se base sur la mobilisation d'énergie, car les graisses sont mieux brûlées. Il faut déjà l'administrer durant l'entraînement.

Besoins en L-carnitine

Apport par la nourriture: 10 à 70 mg par jour; comme elle est synthétisée par le corps, un supplément de 0,5 à 1 g par jour suffit généralement.

Sources de L-carnitine

pour 100 g: lait 2,5 mg, poulet 7,5 mg, viande de bœuf 60 mg, mouton 80 à 250 mg.

Acide orotique
(vitamine B13)

La vitamine B13 n'est pas encore reconnue en tant que vitamine. Acide orotique est son nom usuel.

fonctions

En général
Il favorise la croissance et la régénération des tissus lésés et protège des signes d'usure. Il assure le tonus physique et psychique. Il garantit une meilleure utilisation de la nourriture absorbée.

Reins
Il aide les reins à éliminer l'acide urique et inhibe sa production.

Flore intestinale
Il assure l'équilibre d'une flore intestinale saine, responsable à son tour d'un bon approvisionnement du corps en vitamines.

Foie
Le foie en a besoin pour se protéger des dépôts de graisses et pour favoriser la formation de bile.

signes de carence

En général
Peau, cheveux, ongles en mauvais état. Diminution du tonus musculaire et psychique. Vieillissement prématuré. Problèmes du foie.

Maladies favorisées par une carence en acide orotique

Cirrhose du foie, hépatite aiguë et chronique, sclérose en plaques.

Sources d'acide orotique

Jusqu'à 300 mg par litre de lait de brebis; 60 à 100 mg/l dans le lait de vache; fromage de chèvres, extraits de levure.

Acide pangamique
(vitamine B_{15})

fonctions	signes de carence
En général/protection Il empêche un vieillissement trop rapide, soutient le système immunitaire et assure notre potentiel physique. Il élimine les toxines provenant de l'environnement.	**En général/protection** Manque de concentration, baisse d'efficacité, vieillissement précoce, fatigue printanière, états d'épuisement. Mauvaise tolérance aux toxines de l'environnement, aux médicaments, à l'alcool.
Oxygène Il augmente l'apport en oxygène du sang; il améliore ainsi l'apport aux cellules.	**Oxygène** Migraines déclenchées par un manque d'oxygène.
Foie Soutient le travail désintoxicant du foie et le protège d'un engorgement graisseux.	
Métabolisme Il contribue au métabolisme des protéines et règle le taux de cholestérol sanguin.	
	Peau Manifestations allergiques.
	Nerfs Douleurs névralgiques (migraines, trijumeau, sciatique).
Muscles En cas d'activité sportive, il a la propriété de protéger les muscles d'une fatigue prématurée et leur permet une récupération plus rapide (la résistance est augmentée de 300%). Cet effet est basé sur le contrôle du glucose dans les cellules et une production d'acide lactique réduite.	**Muscles** Rapidement des douleurs musculaires en cas d'activité sportive.

Important

L'acide pangamique n'est pas reconnu en tant que vitamine.

Maladies favorisées par une carence en acide pangamique

Hépatite, cirrhose du foie, hypercholestérolémie, dépôts de graisse dans les tissus, infarctus du myocarde, artériosclérose, hypertension artérielle, diabète, jambes des fumeurs, glaucome, schizophrénie, autisme infantile.

Usage thérapeutique

Permet aux toxicomanes (alcool, drogues, médicaments) de se défaire plus facilement de leur manie. L'acide pangamique, combiné à la vitamine A et E, combat les douleurs cardiaques. Parlez-en d'abord à votre médecin, ceci sans interrompre l'absorption de vos médicaments.

Besoins

Les besoins quotidiens ne sont pas connus; on les estime à 15 mg.

Sources d'acide pangamique

Germes de riz, son de riz, noyaux d'abricots, levure.

Bioflavonoïdes
(groupe des vitamines P)

fonctions	signes de carence
Bouche Gencives saines.	**Bouche** Saignements des gencives.
Vaisseaux Abaissent la perméabilité des vaisseaux sanguins.	**Vaisseaux** Capillaires fragiles (taches bleues sans raison). Capillaires dilatés, téléangiectasies.
Enzymes Ils inhibent l'enzyme hyaluronidase et combattent les inflammations.	**Enzymes** Blessures sportives fréquentes, guérissant mal.
Protection Ils empêchent les hypersensibilités et allergies. Ils augmentent l'efficacité de la vitamine C et empêchent la destruction oxydative de l'adrénaline et des substances semblables.	**Protection** Allergies.

Important

Le terme bioflavonoïdes s'est de plus en plus imposé. En font partie, p. ex.: citrine, rutine, hespéridine, quercitine.

Maladies favorisées par une carence en bioflavonoïdes

Varices, phlébites, cellulite, cirrhose de l'appendice.

Intéressant

En cas de blessures sportives ou autres, les bioflavonoïdes accélèrent le processus de guérison, p. ex de distensions musculaires, éraflures, lésions articulaires, etc.
Ils empêchent les tuméfactions

Besoins

Les besoins journaliers sont estimés à 50 mg.

Source de bioflavonoïdes

Sarrasin, agrumes, paprika, baies de cassis.

Inositol
(myo-inosite)

fonctions	signes de carence
En général Fonction musculaire, p. ex. muscle cardiaque. Stimule les nerfs.	
Métabolisme/foie Il règle le métabolisme des graisses et contribue à la dégradation du cholestérol. Il contribue au métabolisme des mitochondries et du foie.	**Métabolisme/foie** Troubles du métabolisme hépatique. Intoxication du foie.
Tractus gastro-intestinal Il est nécessaire au péristaltisme intestinal.	**Tractus gastro-intestinal** Constipation, mauvaise tolérance à la nourriture, manque d'appétit, ballonnements, maux de ventre.
	Peau Eczémas, surtout la pelade (alopécie), calvitie.
Cheveux Nécessaire pour une croissance dense des cheveux.	**Cheveux** Chute des cheveux, surtout la pelade (alopécie); calvicie.
Fertilité – allaitement Il est co-responsable de la procréation et augmente la capacité d'allaitement. L'inositol favorise l'utilisation de la vitamine E.	**Fertilité – allaitement** Mauvaise conception, allaitement perturbé.

Besoins

On absorbe environ 1 g d'inositol avec les aliments. A partir du glucose, l'organisme peut produire lui-même du myo-inosite.

Sources d'inositol

Levures, foie, germes de blé, oranges, mélasse noire.

Choline

N'est pas déclarée comme vitamine.

fonctions	signes de carence
Métabolisme Elle est un constituant de la lécithine et est nécessaire à la production de phospholipides. Elle est formée dans toutes les cellules et est un constituant des membranes cellulaires.	**Métabolisme** Chez les animaux, une alimentation exempte de choline provoque une augmentation des graisses sanguines (triglycérides) et des modifications cardiaques.
Protection Durant la grossesse, elle protège les reins de la mère et du fœtus. Important pour les enfants en croissance.	**Protection** Peut provoquer une inflammation chronique des reins chez les enfants.
Foie Il a besoin de la choline afin de transformer en lécithine et d'évacuer les acides gras formés lors de la biosynthèse. Sinon, ils se déposent dans le foie sous forme de triglycérides. On suppose que la choline a la faculté de protéger le foie du cancer. Elle contribue à la dégradation des substances toxiques par le foie.	**Foie** Une cirrhose du foie se développe et le foie ne désintoxique le sang qu'insuffisamment. Cholestérolémie fortement augmentée.

Maladies favorisées par une carence en choline

Troubles du métabolisme des graisses, troubles hépatiques, cirrhose du foie, cancer du foie, dystrophies musculaires pouvant aller à de graves asthénies musculaires, artériosclérose, ulcères gastriques, foie éthylique.

Besoins

On admet un besoin de 0,8 mg à 1 g par jour.

Sources de choline

Cervelle, jaune d'œuf, légumineuses.

Sels minéraux et oligo-éléments

Les sels minéraux et les oligo-éléments sont d'autres éléments vitaux de l'alimentation. Sans ces éléments, la vie humaine, animale et végétale seraient impossibles.

Alors que les sels minéraux sont déjà bien connus, on n'est malheureusement pas encore aussi avancé pour les oligo-éléments. J'insiste sur le mot malheureusement. Car dans les aliments dénaturés de nos jours, il y a un grand déficit en oligo-éléments dont nous aurions un urgent besoin. A ce sujet, je citerai le
Dr. Felix Kieffer, spécialiste en science nutritionnelle à Berne: «Les résultats récents de la recherche sur les oligo-éléments sont respectés avec beaucoup de retard par la législation nationale. Par le manque de compréhension et l'incapacité des autorités, il n'est encore jamais arrivé qu'un nouveau procédé de raffinement technique ait été interdit. En revanche, il est généralement interdit de compléter un aliment raffiné au moyen d'éléments vitaux qui lui ont été retirés par le raffinage. De ce fait, les gens pensent, par erreur, que ce qui n'est pas permis ne peut pas être bon. Une peur généralisée vis-à-vis de la chimie ne va pas faire évoluer les choses».

Il est temps de changer d'idée. Avec la mode de refuser la chimie, on se ferme aussi à tout ce qu'elle nous offre comme possibilités bénéfiques. Elle est en mesure de compenser les éléments vitaux perdus dans notre alimentation.

Selon le **Dr. Kieffer**, le tragique de la situation alimentaire réside dans le fait que les lois et prescriptions pour bon nombre de procédés de fabrication et de produits ont été fixés à une époque où les connaissances sur l'importance des oligo-éléments vitaux était minime. Il s'ensuit que l'approvisionnement de la population en quantités suffisantes en oligo-éléments n'est plus assuré sans autre.

Les besoins énergétiques (nombre de calories) des hommes a fortement diminué et de ce fait également l'apport en nourriture. La part de la nourriture pauvre en oligo-éléments augmentant parallèlement constamment, la consommation d'éléments minéraux diminue inévitablement. On sait que les problèmes de santé nous rendent plus sages. Ils coûtent des milliards de francs et sont synonymes de maladies et douleurs. Pour une prise de conscience dans ce domaine, toutes les portes semblent fermées. Ceci doit changer. Il existe déjà suffisamment de connaissances en la matière, mais pas assez d'auditeurs, respectivement de lecteurs, pour appliquer ces connaissances en pratique.

Cette appel insistant d'un spécialiste en la matière tel le Dr. Kieffer devrait éveiller en chacun de nous le désir d'absorber suffisamment de sels minéraux et d'oligo-éléments. Ces deux groupes ont la propriété d'éviter des troubles de résorption dans notre organisme. Ils ne doivent toutefois pas être absorbés en quantités démesurées, car notre corps dépose le surplus dans les tissus et les organes.

Magnésium

fonctions

Métabolisme

Base et cofacteur de plus de 300 processus de catalyse enzymatique, il active pratiquement toutes les enzymes, empêche l'oxydation des acides gras et influence positivement le taux de cholestérol. Il agit en tant que biocatalyseur dans le métabolisme des hydrates de carbone. Il sert d'élément de transport pour des acides aminés capables de traverser les parois cellulaires avec du magnésium seulement. Ceci permet la production enzymatique dans le pancréas.

Nerfs

Il donne aux nerfs la possibilité de transmettre les ordres aux muscles. Il protège les nerfs et donc la personne tout entière de stimulations exagérées.

Système immunitaire

Il soutient le système de défense.

Os

Il est nécessaire à la construction des os. On retrouve le 60% environ de la teneur de l'organisme en magnésium dans les os.

Muscles

Le magnésium nous donne la possibilité d'activer et de détendre les muscles.

signes de carence

Métabolisme

Un stress passager conduit toujours à une perte de magnésium. Fatigue subite, taux de cholestérol plus élevé; disposition plus élevée aux douleurs à la suite d'opérations; tendance à des allergies spontanées.

Nerfs

Irritable, tendu, hypersensible au bruit, facilement excité, peureux, agressif, vibrations intérieures, insomnies; ce que l'on entend généralement par faiblesse des nerfs est souvent un manque de magnésium.

Système immunitaire

Déficit immunitaire.

Os

Grincements de dents; dépôts de calcium.

Muscles

Secousses ou tremblements des bras ou des jambes, asthénie musculaire; fortes crampes très douloureuses qui commencent dans les pieds et les mains qui se contractent dès que l'on veut se reposer; les crampes dues au manque de magnésium peuvent s'étendre à toute la musculature de manière à ce que la personne en question se recroqueville en position fœtale. Dépôts de calcium dans les muscles, électro-

	myogrammes anormaux, énurésie (faiblesse du muscle obturateur de la vessie), crampes dans la nuque; crampes nocturnes dans les mollets, crampes des muscles annulaires.
Cœur Il soutient l'activité cardiaque et le protège de l'infarctus. La pression sanguine systolique est améliorée.	**Cœur** Pouls irrégulier, électrocardiogramme anormal, dépôts de calcium dans le muscle cardiaque et dans les artères, lésions du muscle cardiaque à la suite de maladies infectieuses; douleurs du cœur en même temps que douleurs dans le bras gauche (consulter un médecin au plus vite).
Foie Il est coresponsables de la production du glycogène dans le foie.	**Foie** Baisse de la glycémie lorsqu'on saute un repas.
Reins Pratiquement pas de surdosage possible avec des reins en bonne santé.	**Reins** Formation de gravelle et de calculs calcaires dans les reins.
Sang/irrigation sanguine Le magnésium joue un rôle dans la coagulation du sang et stabilise les thrombocytes. Il agit ainsi en facteur de protection contre les thromboses et embolies. Il prévient également la tendance de coagulation plus élevée à la suite de repas riches en graisses. Favorise l'irrigation sanguine des capillaires. Détente de la musculature de la tête à la suite d'une meilleure irrigation.	**Sang/irrigation sanguine** Fourmillements dans les bras et les jambes. Douleur qui se pose comme un cercle autour de la tête et qui produit une forte pression. La tête semble exploser ou une sensation de décollement de la peau s'installe. Manque de concentration.
Psychisme Du magnésium en quantité suffisante règle les processus psychiques normaux.	**Psychisme** Perturbation, troubles de l'orientation, dépressions, hallucinations pouvant aller jusqu'au délire ou à des comportements schizophrénoïdes. Un manque de magnésium favorise les maladies psychosomatiques.
Grossesse Indispensable pour le déroulement normal d'une grossesse.	**Grossesse** Fausses contractions, ventre dur et tendu.

Maladies favorisées par un manque de magnésium

Infarctus du myocarde, arrêt cardiaque, inflammations du pancréas, épilepsie, crampes durant la grossesse, artériosclérose, angine de poitrine, gravelle calcaire.

A savoir

La vitamine D améliore la résorption du magnésium, mais elle favorise également son élimination. Ce fait semble être en relation avec la formation de calculs rénaux calcaires.

Une expérience significative faite sur animaux

Chez les chats, le magnésium influence l'affection maternelle. Une mère souffrant d'un manque de magnésium ne montrait aucun intérêt pour ses chatons. Dès que l'on a ajouté du magnésium à sa nourriture, elle reprit un comportement normal et s'occupa de ses jeunes.

Conseils

Pour calmer: le magnésium est un calmant naturel. Si vous vous sentez irrité, prenez tous les jours une dose de magnésium.

Pour les personnes âgées: Sie vos mains et votre tête tremblent, ceci pourra peut-être vous soulager: prenez tous les jours 200 mg de magnésium, 40 mg de vitamine B6 ainsi qu'une dose d'une préparation combinée avec les vitamines A, C, E.

Pour les sportifs: afin de bien utiliser les protéines en cas de consommation accrue, l'organisme a besoin de compléments de magnésium et de vitamine B6; environ 200 mg de magnésium et 40 mg de vitamine B6.

Substance anti-stress

On peut considérer le magnésium comme substance anti-stress. Il veille à ce que notre organisme fonctionne normalement en cas de forte mise à l'épreuve.

Attention

Le magnésium ne peut être résorbé qu'en présence de vitamine B6. La valeur pH de l'estomac doit être correcte, sinon le magnésium déclenche des diarrhées.

Destructeurs de magnésium

Fortes pertes de sang, fortes diarrhées, absorption de préparations diurétiques, antibiotiques, forte consommation d'alcool, alimentation unilatérale (beaucoup de sucre blanc, farine blanche, graisses), transpiration excessive.

Important pour personnes souffrant du cœur

Eviter les destructeurs de magnésium et veiller à un apport journalier de magnésium et de vitamine E.

Patients avec calculs rénaux

L'apport quotidien de magnésium et de vitamine B6 est important; boire beaucoup.

Prudence

On peut aussi absorber trop de magnésium. Par exemple, avec des laxatifs à base de magnésium ou des préparations contre les brûlures d'estomac. Trop de magnésium provoque une faiblesse musculaire, réduction des réflexes, de l'hypotonie, manque d'entrain, lourdeur, somnolence, troubles de la coordination, troubles du langage, rythme cardiaque réduit, vomissements, nausées. A l'apparition de ces symptômes, absorber du calcium et de la vitamine B_6.

Besoins

Avec notre train de vie civilisé, le magnésium est probablement un des minéraux les plus importants. Selon le mode de vie, le corps a besoin de 200 à 400 mg de magnésium par jour, les personnes âgées de 500 mg. Le besoin dépend de la consommation de calcium et de phosphore. Plus on absorbe de ces deux substances, plus on a besoin de magnésium

Présence de magnésium

Pois chiches, noix, mélasse noire, pain aux céréales intégrales, légumes.

Calcium

fonctions	signes de carence
En général Pour l'ensemble du métabolisme, le calcium joue un rôle important	**En général** Avaler de l'air en parlant et en mangeant rapidement; fatigue; faiblesse.
Os Il contribue à la construction des os et à leur stabilité. Le calcium est un élément important pour la formation du tissu conjonctif osseux.	**Os** Fractures spontanées; dégradation de la masse osseuse; maux de tête diffus, p. ex, lors de mouvements.
Dents Le calcium est responsable de la formation de la dentine et de l'émail des dents.	**Dents** Exposées à la carie; mauvaise qualité de la dentine.
Nerfs Il participe à la transmission des impulsions nerveuses et soutient, la fonction des ganglions nerveux.	**Nerfs** Tensions nerveuses, incapacité de se détendre, mauvaise humeur, fatigue subite, irritabilité, insomnies
Cellules/peau Influence la perméabilité des cellules et sert à la construction des acides nucléiques.	**Cellules/peau** Eczémas et rougeurs de la peau, allergie solaire, sensibilité au sucre.
Cœur Nécessaire à un rythme cardiaque régulier.	**Cœur** Palpitations du cœur en changeant de position.
Sang Important pour la coagulation du sang et la cicatrisation.	**Sang** Mauvaise cicatrisation (en manquant aussi de vitamine E).
Muscles Le calcium sert au maintien du tonus musculaire et fortifie les muscles en cas de forte fatigue.	**Muscles** Forte irritabilité des muscles (besoin de bouger); jambes constamment en mouvement; syndrome typique: restless legs. Apparition de crampes durant l'activité corporelle, crampes des mollets durant le sommeil, crampes du gros intestin.
Hormones Il soutient la production hormonale des glandes surrénales. Les hormones sexuelles, à leur tour, aident à améliorer la résorption du calcium	**Hormones** Chez la femme: possibilité de crampes menstruelles, maux de tête durant la menstruation.

Le manque de calcium favorise les affections suivantes

Allergies, ostéoporose, arthrose, parodontose, ostéomalacie.

Intéressant

Chez les jeunes filles, les besoins en calcium augmentent avant la menstruation, ce qui provoque une irritabilité nerveuse accrue. Durant la ménopause et avec l'âge, les besoins en calcium augmentent également.

Destructeurs de calcium

Trop de sucreries (hydrates de carbone concentrés tels sucre blanc, farine blanche) interrompent l'assimilation du calcium. Les déchets métaboliques acides de ces aliments se lient avec le calcium et forment des sels neutres. Ces cristaux de sels se déposent dans l'organisme et forment des calcifications (selon les expériences des naturopathes et spécialistes en diététique).

Important

Il importe d'absorber du calcium uniquement en combinaison avec de la vitamine D et C et du magnésium. Ne jamais l'absorber seul. Vous trouverez des préparations combinées dans les magasins spécialisés.

Conseils

En cas de troubles du sommeil: un verre de lait et une dose de calcium vous aidera.
En cas de fortes douleurs: vous pouvez les atténuer par une dose de calcium (douleurs non inflammatoires).

Attention

Il ne faudrait pas absorber du calcium sans contrôle. Si le métabolisme du calcium est perturbé, le surplus de calcium est déposé dans les organes, les tissus et le long du squelette. Ce qui provoque de grandes douleurs. Trop de calcium dans le sang produit de l'apathie et de la somnolence; les réflexes des nerfs et des muscles sont ralentis. Dans la littérature, on parle d'un effet néfaste de l'apport en lait frais. Il n'y a cependant pas unanimité à ce sujet. Il est vrai que l'on peut observer un épaississement des phalanges des doigts dû au lait. Mais de plus en plus, il est constaté que les carences en calcium sont bien plus nombreuses que les excès.

Besoins

Les besoins quotidiens sont estimés à 1,2 g. Cette quantité est toutefois difficile à évaluer, car le squelette sert de dépôt de calcium et l'organisme l'utilise au besoin. L'assimilation du calcium dépend de la présence en quantité suffisante des vitamines D et C. Le sucre de lait facilite également la résorption du calcium.

Sources de calcium

Le lait et les produits laitiers, les choux-pommes, la mélasse noire et le sésame en sont les principaux fournisseurs.

Phosphore

fonctions	signes de carence
Os et dents Lié au calcium, le phosphore sert à l'élaboration du tissu osseux et dentaire.	**Os et dents** Douleurs et sensibilité des os en cas de mise à contribution
Cellules Il sert à l'élaboration de la structure cellulaire et comme transporteur à travers leur membrane. Il est un élément des acides nucléiques et sert de base et de transporteur d'informations génétiques.	**Cellules** Etats perturbés, délire, coma, crampes cérébrales, neuropathies périphériques
Nerfs Détermine le degré de qualité de la structure des cellules nerveuses.	
Métabolisme Le phosphore soutient les fonctions du métabolisme intermédiaire, situé entre le niveau de départ et d'arrivée de l'assimilation et de la dissimilation (absorption et dégradation de la nourriture). Il sert à la production et l'utilisation de l'énergie.	**Métabolisme** Troubles de la croissance chez les enfants, nanisme, muscles faibles, dystrophies des muscles, comportement apathique chez les enfants; résistance à l'insuline.
Equilibre acido-basique Sert à la formation d'acide ortho- et pyrophosphorique utilisés dans la mitose cellulaire (phospholipides); est un constituant important de l'adénosine triphosphorique (énergie intracellulaire); rend possible tous les processus de l'organisme soumis à la lumière. Sert de substance-tampon dans le sang et les liquides tissulaires.	**Equilibre acido-basique** Hyperacidification de l'organisme avec irritations tissulaires (une hyperacidité dans le sang peut provoquer une issue fatale).

Important

Le phosphore et le calcium devraient être en rapport constant de env. 1,3 pour 1,5 (g). Trop de phosphore entrave la résorption du calcium. Dans ce cas, le phosphore se lie au calcium qui se trouve dans le sang et est éliminé sous forme de phosphate de calcium. L'organisme enrichit le sang de calcium à partir du squelette. Ce processus peut donc conduire à de l'ostéoporose et de l'arthrose. Il peut éventuellement aussi favoriser des maladies vasculaires et produire des calcifications des reins et des parties molles. Si votre corps présente ces symptômes, renoncez aux aliments apprêtés et aux boissons à base de cola.

Besoins

Les besoins quotidiens sont évalués à 1,5 à 2 g.

Sources de phosphore

Le foie, la levure, la lécithine et les germes de blé en sont les principales sources.

Potassium

fonctions	signes de carence
En général Contrôle les liquides de l'organisme et agit comme tampon du pH.	**En général** Fatigue, épuisement, chute du taux de sucre sanguin, insomnies, faiblesses musculaires
Nerfs Aide à transmettre les impulsions nerveuses	**Nerfs** Paralysies partant de la région du cou
Métabolisme Il active beaucoup de systèmes enzymatiques. Il contribue à transformer le sucre (glucose) en énergie ou à le stocker sous forme de glycogène.	**Métabolisme** Abaissement du taux de sucre sanguin, surtout après usage de laxatifs
Tractus gastro-intestinal Régularise l'activité de l'intestin.	**Tractus gastro-intestinal** Manque d'appétit, ballonnements, constipation, perturbation des contractions de l'intestin.
Cellule On retrouve le potassium dans chaque cellule de notre corps. Le magnésium est indispensable pour le fixer. Au cours de tout travail cellulaire, le potassium est échangé à travers la membrane cellulaire contre le sodium environnant. Il détermine le gonflement et la pression à l'intérieur de la cellule. Il maintient et régularise la pression osmotique dans la cellule. Activation d'enzymes; influence la sensibilité des nerf et des muscles.	**Cellule** Perte d'énergie et de vitalité, épuisement; formation d'œdèmes. Les symptômes d'un manque de potassium dans le corps sont peu caractéristiques. Ils se manifestent aussi par des nausées, manque de condition physique.
Cœur Il soutient une activité cardiaque régulière.	**Cœur** Troubles du rythme cardiaque, ralentissement et irrégularité du pouls, modification de l'électrocardiogramme, crampes, lésions cardiaques. Une carence en magnésium dans le muscle cardiaque peut provoquer un arrêt cardiaque. Augmentation de la pression à cause de la rétention de liquide.

Important

Il est parfois étonnant de constater une chute subite de potassium à la suite d'opérations, provoquant ainsi une paralysie de l'activité intestinale et rénale.

Un manque de potassium provoque les maladies suivantes

Maladies cardiaques, infarctus du myocarde

Destructeurs de potassium

Les médicaments tels corticostéroïdes et hormones ACTH, diurétiques, laxatifs. Forte consommation d'alcool et de médicaments, abus de café. Une carence en potassium se manifeste après de fréquents vomissements, des diarrhées et lors de forte consommation de sel de cuisine.

Intéressant

Même si l'organisme en manque, il continue d'éliminer le potassium. Avec le chlore et le sodium, le potassium maintient un pH pratiquement neutre des liquides corporels. Ces trois éléments déterminent la teneur en eau des tissus, transportent des éléments nutritifs de l'intestin vers le sang et les cellules. Ils régularisent la pression osmotique et font partie des sécrétions des glandes. Le potassium et le sodium sont en équilibre idéal à 1 pour 1.

Attention

Un trop grand apport de potassium peut produire des crampes du muscle cardiaque et un blocage du cœur.

Besoins

Les besoins journaliers ne sont pas définis, car ils dépendent de l'apport en sel de cuisine

Sources de potassium

Dans les céréales intégrales, dans tous les fruits et légumes (avec un maximum pour les abricots séchés et les bananes).

Sodium/chlore

(en rapport avec le potassium, page 123)

fonctions

Métabolisme du sang

Le sodium et le chlore sont responsables de la pression osmotique des liquides en dehors des cellules. Le chlore joue un rôle important pour le dioxyde de carbone des globules rouges. Le sel de cuisine stimule l'écoulement de la salive et augmente l'activité de l'amylase (dans la salive, responsable de la digestion des hydrates de carbone).

Estomac

Ils jouent un rôle dans la sécrétion du suc gastrique. Le sodium active l'enzyme amylase du suc digestif.

Attention

Un excès de sel de cuisine produit des œdèmes, des maux de tête, de la fièvre, des inflammations de la peau, la chute des cheveux et des douleurs rhumatismales. De nos jours, l'apport en sel de cuisine (chlorure de sodium) est plutôt trop élevé que trop bas. Mais les deux substances sont importantes pour le métabolisme de l'eau dans le corps.

signes de carence

Métabolisme du sang

Avec un mode de vie normal, un manque est rare puisque le besoin est couvert par l'apport en sel de cuisine. Des signes de carence peuvent apparaître si l'on transpire fortement par temps chaud (sport en été). Une carence peut aussi se manifester à la suite de forts vomissements et de fortes diarrhées. Symptômes: légère apathie, manque d'entrain, confusion mentale, crampes des muscles, épuisement, insolation. En cas d'apparition de ces symptômes, un verre d'eau salée soulage. Manques de sel chroniques: fortes transpirations au moindre effort; augmentation de la soif en buvant. Gorge sèche en se réveillant.

Estomac

Manque d'acide chlorhydrique du suc gastrique.

Conseils

En cas de manque de pression artérielle: buvez de temps en temps du jus de racines/betteraves rouges avec un peu de sel de cuisine et mangez suffisamment de protéines. Ceci vous aidera à stabiliser la pression.
En cas d'hypertension artérielle: certains organismes réagissent au sel de cuisine par de l'hypertension. Dans ces cas, il y a souvent manque de magnésium, de calcium ou de potassium.

Fer

fonctions	signes de carence
sang Pour la formation de l'hémoglobine dans les globules rouges. Ils assurent l'approvisionnement du corps en oxygène.	**sang** Forte fatigue, teint pâle à gris. Manque de fer dans les globules rouges (anémie hypochrome).
Enzymes Elément important pour beaucoup d'enzymes.	**Enzymes** Irritabilité, états de perturbation, vertiges, constipation et troubles de la digestion.
Respiration Responsable du bon fonctionnement de la respiration.	**Respiration** Dyspnée en cas d'efforts, palpitations, maux de tête.
Muscles Il contribue à produire de la myoglobine, le colorant rouge des muscles.	**Muscles** Parfois des douleurs en avalant et des brûlures derrière le sternum.
Ongles Pour des ongles beaux et élastiques.	**Ongles** Ongles cassants, tendance à pousser vers l'extérieur, rainures longitudinales et affaissements.
Bouche Lamelles des lèvres bien développées.	**Bouche** Les lèvres deviennent lisses, la langue perd ses papilles. Inflammations des commissures des lèvres, troubles de la déglutition.
Cheveux Croissance saine des cheveux.	**Cheveux** Chute des cheveux, coloration grise précoce, cheveux secs et cassants.

Intéressant

Le fer est mieux résorbé si le corps dispose de suffisamment de manganèse et de zinc. La résorption peut être améliorée par de la vitamine C. Les enfants manquant de fer ont besoin de se ronger les ongles ou de mâcher des objets durs. Les carences se manifestent surtout chez les femmes et les enfants; ils ont tendance à avoir de l'anémie (diminution de l'hémoglobine et des globules rouges). Ces personnes doivent veiller à se nourrir de manière riche en fer et en vitamine C. L'organisme peut former des dépôts de fer dans le foie et la moelle épinière. Pour cette raison, cela peut aller longtemps jusqu'à ce que l'on constate une anémie due à un manque de fer. Le métabolisme du fer peut s'effondrer à la suite de fortes pertes de sang au cours d'une opération ou d'un accident. Les donneurs de sang assidus devraient aussi surveiller leur approvisionnement en fer.

Attention

En absorbant du fer sous forme de tablettes, la vitamine E peut être détruite. Les personnes devant prendre les deux substances devraient séparer leur absorption par un laps de temps de 8 heures. Les personnes souffrant d'anémie devraient s'abstenir de boire du thé noir, car les tanins du thé noir empêchent la résorption du fer. Ne pas exagérer l'absorption de fer si une anémie ne s'améliore pas tout de suite. La cause de l'anémie pourrait aussi se situer dans un déficit en vitamine B12, en acide folique, en vitamine B6, ou en vitamine E. Faire contrôler le sang par le médecin. Le fer absorbé en trop peut se déposer dans les tissus. Il faut une grande quantité de fer et une durée de traitement prolongée pour équilibrer une anémie. Dans l'intestin grêle, seuls 7 à 10% du fer absorbé avec la nourriture sont résorbés. Il faut donc au moins 100 mg de fer pour couvrir un besoin de 10 mg. L'excédent est évacué par les selles.

Trop de fer

Fatigue, manque d'appétit, arthrite, dépressions en sont les symptômes primaires. Perte de la libido, dépôts dans le cortex cérébral, qui conduit à des tremblements des mains comme en cas de Parkinson.

Un manque de fer favorise les maladies suivantes

Inflammations du pancréas.

Besoins

Ils ne sont pas exactement connus. Les indications varient entre 10 et 45 mg. Il est prouvé que les femmes en période de grossesse et d'allaitement ont un besoin en fer plus élevé. Il est aussi admis que les femmes, en majorité, présentent un manque de fer.

Sources de fer

Céréales intégrales, mélasse noire, abricots, rognons. Le fer contenu dans les légumes est mal ou pas du tout résorbé, car il s'y trouve sous forme de sels non solubles.

Soufre

Dans la nature, le soufre est largement répandu. On le retrouve dans beaucoup de cellules car il est un constituant de certains acides aminés. Ces derniers sont des éléments des protéines.

fonctions

Hormones
Le soufre est un élément important pour la formation des hormones comme p. ex. l'insuline

Elaboration des tissus
Il est absolument nécessaire pour la formation de la kératine qui assure une belle peau ainsi que des cheveux et des ongles sains.

Enzymes/peau
Le soufre joue aussi un rôle dans la formation des enzymes servant à la désintoxication.

signes de carences

Elaboration des tissus
Le soufre se présente surtout sous forme d'acides aminés comprenant du soufre. Si ces derniers arrivent à manquer, des troubles graves de la croissance peuvent se manifester. Ceci se remarque en premier au niveau des cheveux et des ongles.

Enzymes/peau
Une dermatite est souvent guérie par l'usage externe de soufre. Une mauvaise désintoxication peut provoquer des inflammations de la peau.

Sources de soufre

Dans les aliments contenant des protéines, dans les fruits secs soufrés.

Iode

fonctions

L'iode est essentiel pour la synthèse de la triiodothyronine et de la thyroxine. Il influence ainsi le développement et la croissance de l'organisme; il contrôle en outre des processus du métabolisme d'oxydation, la production de chaleur, le métabolisme de l'eau et de l'oxygène.

Selon la concentration de l'iode, les neuromédiateurs hypothalamiques, les médiateurs neurotropes, la libération d'hormones thyroïdiennes, de la prolactine et de gonadotrophine sont modulés.

signes de carence

Risques d'un manque d'iode:

- troubles de la fertilité
- crétinisme endémique
- augmentation du taux de malformations

nouveau-nés

- syndrome des membranes hyalines
- Struma connata
- troubles de la maturité cérébrale et de la croissance
- déficiences auditives
- retards de la maturité squelettique, p. ex. fontanelles
- restriction des capacités mentales

puberté

- goitre juvénile
- troubles du développement neuropsychique (p. ex. apprendre et mémoriser)
- risque d'artériosclérose

Chez l'adulte

- formation de goitre ou agrandissement de la glande thyroïdienne
- fonction trop faible de la thyroïde se manifestant comme suit: fatigue, manque d'entrain, sensation de froid, impuissance, diminution du rythme cardiaque, hypotension, tendance à l'embonpoint malgré un apport calorique réduit.

Une carence en iode favorise les maladies suivantes

Cancer de la thyroïde (en cas de léger manque de iode), hypertension et maladies cardiaques.

Test des fonctions thyroïdiennes

Des températures corporelles matinales de 36 °C (mesure sous le bras) indiquent un fonctionnement réduit. Symptômes: pieds et mains froids, pouls lent, humeur dépressive, manque d'énergie, pensée lente, peau épaisse, sèche avec chute des cheveux, ongles épais et cassants. Pas de perte de poids malgré un régime strict. Constipation.

A savoir

Durant la croissance, la grossesse, la période d'allaitement et la période de la ménopause, le besoin en iode est accru. Les aliments suivants accroissent les besoins en iode: cacahuètes, choux, farine de soja non rôtie.

Important

Afin de pouvoir résorber l'iode, la glande thyroïde a besoin d'un bon approvisionnement en vitamine E, en zinc et sélénium.

Besoins journaliers

0,15 à 0,4 mg; par semaine 1,5 g

Sources d’iode

Dans bien des pays, le sel de cuisine est iodé; veiller à utiliser ce sel ou du sel marin. Dans les algues et les tablettes d'algues, dans les crustacés.

Germanium

fonctions

Active les macrophages, augmente la production de lymphocytes K (système immunitaire). Effet antioxydant, capteur de radicaux libres.

signes de carence

Pas connues chez l'homme; usage thérapeutique. Troubles de l'irrigation sanguine en cas de rhumatismes p. ex.

Résorption quotidienne

Selon la composition de la nourriture, 0,9 à 3,2 mg

Sources de germanium

Ail, ginseng de Sibérie, certaines eaux de source.

Chrome

fonctions	signes de carence
Métabolisme Le chrome forme le facteur de tolérance au glucose (FTG); sans ce facteur, l'insuline est inefficace, mais le chrome ne peut pas remplacer cette dernière.	**Métabolisme** Incompatibilité avec les mets doux; diabète de la maturité (non insulinogène).
Vaisseaux sanguins On suppose qu'il existe une relation étroite entre le chrome et la santé des vaisseaux sanguins.	**Vaisseaux sanguins** Maladies circulatoires sclérotiques.
Yeux Pour le bon fonctionnement de la cornée et du cristallin.	**Yeux** Trouble de la cornée et du cristallin.
Métabolisme des graisses On suppose qu'il aide à régler le taux de cholestérol et qu'il existe une corrélation avec l'adiposité.	
Chez les enfants Ils ont besoin du chrome pour la croissance.	**Chez les enfants** Troubles de croissance.

Maladies favorisées par la carence de chrome

Adiposité, diabète de la maturité, artériosclérose.

Besoins

0,03 à 0,2 mg

Sources de chrome

Dans la levure de bière, la mélasse noire, les germes de blé et le poivre noir. On retrouve le facteur de tolérance au glucose dans la mélasse noire.

Cobalt

fonctions

Moelle osseuse
Il influence la moelle osseuse formatrice du sang.

Sang
Il est le constituant principal de la vitamine B12 et participe donc à la production des globules rouges.

signes de carence

Moelle osseuse

Sang
Apathie. La teneur en vitamine B12 dans le sang et les organes diminue.

Important

Le cobalt favorise la résorption du fer à partir de l'intestin grêle.

Maladies favorisées par une carence en cobalt

Anémie pernicieuse, comme pour une carence en vitamine B12.

Attention

Des dosages trop importants de cobalt produisent une hypertrophie de la glande thyroïde.

Besoins

Les besoins quotidiens ne sont pas connus.

Sources de cobalt

Viande, le foie en particulier.

Fluor

fonctions

Os et dents

Il contribue à la formation des os et des dents. Il durcit l'émail dentaire, la dentine et les os. Il diminue la solubilité de l'émail. On suppose que le fluor inhibe les bactéries productrices d'acidité.

signes de carence

Os et dents

Seul le dentiste ou le médecin peuvent constater des états de carence. Suivre les indications.

Maladies favorisées par une carence en fluor

Ostéoporose, artériosclérose, carie dentaire.

Attention

Des dosages trop élevés de fluor peuvent avoir des effets toxiques et déclencher les symptômes suivants.

- émail dentaire tacheté de brun (taches irréversibles);
- début d'ostéopétrose
- modifications de la glande thyroïde
- lésions rénales;
- fluorose.

Besoins

Les besoins quotidiens ne sont pas connus.

Sources de fluor

Dans certaines eaux minérales et l'eau du robinet fluorée.

Cuivre

fonctions

Enzymes
Constituant du système des ferments respiratoires; soutient la respiration cellulaire.

Sang
Il sert de biocatalyseur dans la formation de l'hémoglobine. Il est responsable de la résorption du fer de l'intestin grêle; grâce au cuivre, l'organisme peut utiliser le fer stocké.

Vaisseaux sanguins
Il joue aussi un rôle dans la synthèse des enzymes qui maintiennent l'élasticité de nos vaisseaux sanguins.

Cheveux/peau
Le cuivre est indispensable dans la formation de la peau, des cheveux, des os, des tendons et de la "colle" des cartilages. Il soutient la synthèse de la tyrosinase (acide aminé), responsable surtout de la pigmentation foncée de la peau et des cheveux.

signes de carence

Enzymes
Plus grande fragilité des os.

Sang
Anémie par formation insuffisante d'hémoglobine; leucocytopénie, neutropénie.

Vaisseaux sanguins
Vaisseaux sanguins fragiles, rigides; artériosclérose, lésions cardiaques, cholestérolémie.

Cheveux/peau
Cheveux prématurément gris et frisés. Les albinos sont victimes d'un manque aigu de cuivre ou d'une défectuosité génétique de la tyrosinase. Dépigmentation de la peau, dermatites.

Trop de cuivre

Psychose de la grossesse; chez bien des femmes, on constate des valeurs de cuivre très élevées après l'accouchement. Une hypertension artérielle est souvent l'expression d'un surplus de cuivre dans le sang. Les infarctus sont plus fréquents chez les personnes du groupe sanguin A; ces personnes ont aussi un problème d'élimination du cuivre.

Elimination du cuivre

Elle est favorisée par le zinc et le manganèse (rapport 20 à 1) et de la vitamine C. Le molybdène favorise l'élimination par la bile. La vitamine E et le sélénium protègent l'organisme des dégâts dus au cuivre. On peut se servir de l'acide a-liponique pour accélérer l'élimination du cuivre.

Besoins

On estime les besoins moyens à 1 à 3 mg par jour.

Sources de cuivre

Abats, poissons, crustacés, noix, cacao, quelques légumes verts.

Manganèse

fonctions	signes de carence
Sang Il joue un rôle dans la formation du sang; avec la vitamine K, une enzyme contenant du manganèse, il joue un rôle dans la formation des facteurs de coagulation du sang.	**Sang** Une carence peut être constatée dans le sang.
Enzymes Le manganèse joue un rôle important dans la formation d'un grand nombre d'enzymes, notamment dans le métabolisme des graisses. Indirectement, il agit aussi comme antioxydant en tant que constituant de l'enzyme peroxydase.	**Enzymes** Troubles psychiques, dépressions et démence sénile (perte de la mémoire, mutations de la personnalité), en combinaison avec le zinc.
Os Il favorise la croissance des os et la formation des cartilages.	**Os** Troubles de la croissance, modifications squelettiques.
Fonctions organiques Soutient le système immunitaire et la désinto-xication. Important pour l'activité musculaire.	**Fonctions organiques** Paralysies, troubles des mouvements, troubles neurologiques.
Métabolisme Important pour le métabolisme des graisses et des sucres. Une enzyme comprenant du manganèse participe à la synthèse du cholestérol et veille au taux d'hormones sexuelles.	**Métabolisme** Tolérance réduite au glucose. Activité réduite des enzymes activées par le manganèse.
Chez la femme Il prévient les troubles hormonaux. Durant la grossesse, le manganèse,. en combinaison avec le zinc, protège le fœtus de dégâts et d'anomalies des organes, des enzymes et des chromosomes.	**Chez la femme** Stérilité, faculté d'allaitement réduite.
Chez l'homme Il soutient la production de spermatozoïdes.	**Chez l'homme** Entrave de la fonction sexuelle. Un manque de manganèse peut provoquer une absence totale de spermatozoïdes, les canaux séminaux dégénèrent.

Signes de carence

Il est possible qu'un jour certaines maladies "inguérissables" soient reconnues comme étant la suite d'un manque de manganèse ou la suite d'une mauvaise résorption de cet élément, comme p. ex. l'ataxie (dérangement d'un déroulement harmonieux des mouvements ou de groupes de muscles).

Attention

Un excès de manganèse est nocif. Il produit les mêmes symptômes que dans les cas de parkinson.

Besoins

Les besoins quotidiens sont estimés à 2 à 6 mg.

Sources de manganèse

Noix, céréales intégrales, légumineuses, cacao, thé.

Sélénium

fonctions

En général

En quantités minimales, il protège des toxines environnementales telles mercure, cadmium, arsenic, argent et cuivre et empêche que ces substances soient stockées dans les tissus. Il renforce l'effet de la vitamine E. Le sélénium est un constituant de la peroxydase de glutathion, une enzyme essentielle; il en va de même pour la peroxydase; il fait partie du système antioxydant et protège des radicaux libres.

Organisme

Le sélénium soutient les fonctions désintoxiquantes de l'organisme et favorise ainsi le système immunitaire. Il agit en tant qu'antioxydant soluble dans l'eau et évite que des peroxydes formés dans notre corps nous nuisent. Les peroxydes sont détruits par une enzyme contenant du sélénium, ce qui ralentit le processus de vieillissement.

signes de carence

En général

Fatigue chronique; provoque une déposition de calcium dans le tissu musculaire.

Organisme

Peut conduire à la nécrose du foie et à des dystrophies musculaires. On suppose en outre qu'une carence de sélénium provoque de l'hypertension artérielle et favorise les infarctus du myocarde.

Besoins

Le besoin quotidien est estimé par certains spécialistes à 200 mg, par d'autres à 1 mg par kg de poids corporel. Protection contre le cancer: 250 à 550 mg, Toxicité: 2,5 à 3 g.

Sources de sélénium

Dans la viande et la levure, le blé dur, champignons.

Maladies favorisées par une carence en sélénium

Arthrite, sclérose en plaques, SIDA.

Zinc

fonctions	signes de carence
En général/métabolisme Le zinc joue un rôle important dans 60 enzymes et participe dans des processus vitaux des cellules. De ce fait, il est important pour le maintien de l'ensemble des fonctions du corps.	**En général** Mauvais appétit, mauvaise défense contre les infections, dépressions, mécontentement. Diminution de l'odorat.
Croissance Avec la vitamine A, le zinc est important pour la couche cornée de la peau. Il favorise la croissance des cheveux et des ongles.	**Croissance** Peau: guérison lente de blessures, inflammations eczémateuses, surtout au coin de la bouche; hyperkératose et parakératose (couche cornée exagérée, respectivement partielle). Cheveux: chute des cheveux, perte des sourcils et cils. Ongles: taches blanches, sillons de travers.
Yeux Il joue un rôle important dans la fonction de la rétine et améliore la vue de nuit.	**Yeux** Problèmes de la rétine en relation avec la vitamine E. Mauvaise visibilité crépusculaire; en combinaison avec la vitamine B.
Hormones Le zinc favorise la formation d'hormones, surtout de l'insuline. Il est important pour les fonctions sexuelles et la sécrétion des glandes masculines et féminines.	**Hormones** Diabète, hypoglycémie. Homme: impuissance, perte de la fertilité. Femme: problèmes d'ovulation.
	Jambes Jambes ouvertes (des doses de zinc aident la guérison).
Enfants Il contrôle la croissance des enfants.	**Enfants** Croissance en dessous de la moyenne; une carence grave provoque du nanisme et même un arrêt de la croissance.
Grossesse Le zinc est indispensable pour un développement normal du fœtus.	**Grossesse** Peut empêcher une grossesse.

Intéressant

Dans tous les cas de stress physique ou psychique, en cas d'une narcose, opération, chagrin d'amour, etc., une quantité très importante de zinc est éliminée par l'urine. Un manque de zinc et de cuivre provoque des insomnies.

Attention

De trop fortes doses de zinc peuvent être toxiques. L'excès est stocké dans le foie. Symptôme: cheveux prématurément gris.

Besoins

Pour un adulte, le besoin quotidien se situe entre 15 et 25 mg, vers 10 mg pour les enfants.

Sources de zinc

Viande de bœuf, cacao.

Vanadium

fonctions

Métabolisme
Le vanadium participe au dépôt des substances minérales dans les os et les dents. Il dirige probablement des processus métaboliques, surtout pour les lipides. Contribue à abaisser le taux de cholestérol.

signes de carence

Métabolisme
Combustion lente.

Besoins

Les besoins journaliers sont estimés à 1 à 2 mg.

Sources de vanadium

Les huiles végétales riches en acide linolique en contiennent le plus. Il est rassurant de savoir que notre nourriture contient suffisamment de vanadium.

Etain

fonctions

Métabolisme

L'hormone gastrine contenant de l'étain est formée dans l'estomac. Elle est déversée dans le sang au moment de l'absorption de nourriture. On pense qu'elle joue un rôle pour la croissance.

signes de carence

Sources d'étain

La nourriture quotidienne en contient 1 à 3 mg, ce qui s'avère être suffisant.

Lithium

Le lithium ne fait pas partie des oligo-éléments essentiels. Il est utilisé aujourd'hui surtout pour traiter les dépressions (aussi passagères). Par un traitement au lithium, on arrive à stabiliser l'état des personnes dépressives. Les traitements au lithium sont du ressort du médecin.

Symptômes d'un surplus de lithium

Etourdissements, tremor (flexions incontrôlées des poignets/bras), manque d'appétit, diarrhée et vomissements.

sources de lithium

Eau minérale

Molybdène

fonctions

Formation d'enzymes

Constituant de bon nombre d'enzymes (oxydases des sulfites transformant les sulfites dangereux en sulfates inoffensifs), surtout des enzymes de désintoxication sans lesquels les reins subiraient de graves lésions. Semple favoriser le dépôt de fluor dans l'émail dentaire.

Fertilité

Important pour la fertilité, tant de l'homme que de la femme.

signes de carence

Formation d'enzymes

Sensibilité aux sulfites. Respiration haletante, poitrine serrée, troubles de la respiration, dyspnée, arrêt de la respiration, étourdissements, inconscience, coloration bleue de la peau, rougeurs, tuméfactions, éruptions cutanées, prurit généralisé, dermatites de contact, sueurs froides, hypotension artérielle, périodiquement œdèmes des mains, des pieds et du pourtour des yeux, humeur instable, crampes abdominales, diarrhée, chocs anaphylactiques.

Fertilité

Impuissance chez l'homme, mauvaise réceptivité chez la femme.

Intéressant

On suppose qu'il existe une corrélation entre l'approvisionnement en molybdène, fer et cuivre et l'apparition de goutte en cas de manque de molybdène.

Présence de molybdène

Dans les algues, le sel marin, les rognons de bœuf, les légumineuses.

Nickel

fonctions

Foie

On suppose que le foie a besoin de nickel pour stocker le glycogène.

Métabolisme

Vraisemblablement, le nickel participe au métabolisme des hydrates de carbone. Il joue aussi un rôle dans diverses enzymes. Il semblerait avoir son importance pour le maintien de la structure de plusieurs acides nucléiques.

Important

Le nickel fait partie des substances récemment découvertes en tant qu'oligo-élément. Jusqu'à présent, on le considérait comme peu important pour l'organisme.

Besoins

L'apport journalier se situe actuellement entre 0,2 et 0,5 mg. Cette quantité semble couvrir les besoins de l'homme.

Silicium

fonctions

En général

Exerce un rôle considérable dans la biosynthèse des tissus conjonctifs et des cartilages où la solidité est exigée. P. ex. aorte, têtes d'articulations, tendons, cornée et sclérotique de l'œil.

Squelette

On suppose que le corps a besoin de silicium pour le processus de calcification des os. Le silicium est un constituant de la substance conjonctive.

Cœur

Diminue le risque de maladies cardiaques.

Enzymes

Soutient la production de mucopolysaccharides.

signes de carence

En général

On suppose que les lésions des artères, de la peau et du tissu conjonctif dues à l'âge sont en rapport avec un déficit en silicium ou que la résorption de cette substance est perturbée avec l'âge. Avec l'âge, la teneur en silicium de la peau, des artères et du thymus régressent continuellement. Il n'en va pas de même pour les organes internes. Dans des artères sclérosées, on retrouve 14 fois moins de silicium que la normale.

Squelette

On suppose que des os fragiles sont en rapport avec un manque de silicium.

Enzymes

La cellulite est partiellement attribuée à un manque de silicium.

Besoins

Les besoins quotidiens ne sont pas connus.

Présence de silicium

Son, terre silicique, argile; toutes les fibres végétales sont riches en silicium, en particulier la prêle.

Acides aminés

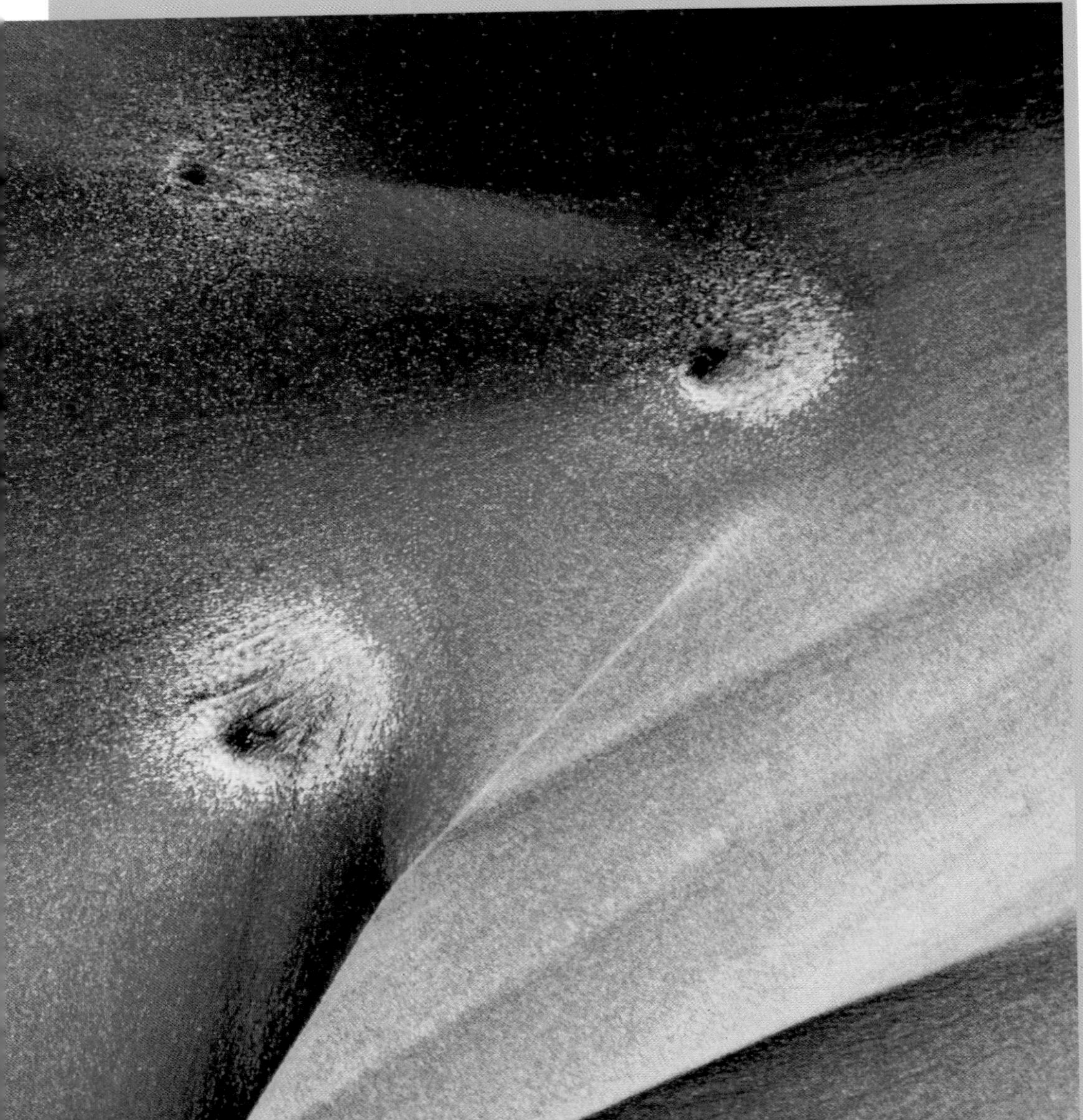

Les acides aminés sont les constituants des protéines. Dans le traitement des carences de substances vitales, on utilise de plus en plus les acides aminés. On distingue les trois groupes suivants.

Essentiels

isoleucine
leucine
lysine
méthionine
phénylamine
thréonine
tryptophane
valine

Semi-essentiels

histidine
arginine
tyrosine
cystéine/lystéine

Non essentiels

alanine
acide aspartique
acide glutamique
glycine
proline
sérine
ornithine
citrulline

Arginine

Est utilisée dans les cas de lésions du foie, accélère la cicatrisation, régularise le cycle de l'urée.

Acide aspartique

Améliore le rendement corporel.

Cystéine

Capte les radicaux libres pour la désintoxication; important pour la peau et les cheveux

Acide glutamique/glutamine

Nutriment du cerveau, améliore le pouvoir de concentration; chez les personnes atteintes d'ulcères et de dépression.

Glycine

Important pour la formation des acides biliaires. Augmente l'élimination de l'acide urique par les reins; stabilise le système immunitaire.

Histidine

Protège les nerfs, important pour la production du sang; aide en cas d'arthrite.

Leucine/isoleucine

Important pour la formation de la musculature et l'endurance physique.

Lysine

Augmente le pouvoir de concentration; pour une bonne performance cardiaque; combat les virus de l'herpès.

L-phénylalanine

Favorise la production des hormones du bonheur et ainsi la bonne humeur.

Méthionine

Protège le foie de l'engorgement graisseux, protège des radicaux libres.

Ornithine

Stimule le système immunitaire, soutient l'hypophyse, ralentit le processus du vieillissement.

Thréonine

Elargit les vaisseaux sanguins pour l'irrigation optimale du corps, du cœur et du cerveau.

Taurine

Important pour la formation des acides biliaires; meilleure désintoxication du foie; soutient l'activité cardiaque.

Tryptophane

Précurseur de la sérotonine. Réduit le temps d'endormissement, évite les fringales et envies d'hydrates de carbone.

Tyrosine

Important pour les transmetteurs et la formation d'hormones.

Valine

Favorise l'activité musculaire.

Substances vitales au quotidien

Carences en substances minérales

En parcourant les effets des carences des différentes substances, on a souvent l'impression que l'on manque de toutes les substances vitales.

Amélioration de l'apport journalier en vitamines et en substances minérales.

Le métabolisme des sels minéraux et des vitamines est un système très complexe. L'apport d'une seule vitamine peut déséquilibrer ce système et le perturber gravement. Un apport de base équilibré en substances vitales est donc essentiel.

Pour les préparations correspondant aux dosages indiqués, référez-vous à l'information produits (en Suisse), page 172 et 173. Dans les autres pays, veuillez consulter votre pharmacien ou diététicien.

Pour éliminer des carences existantes

Durant 3 à 6 mois, tous les jours
matin
1 tablette multivitaminée avec complexe de sels minéraux
soir
1 tablette multivitaminée et une dose de magnésium (à 20 mg Mg^{++})

Dose de maintien:
du lundi au vendredi, même programme

En cas d'activité intellectuelle prédominante

Durant 3 mois, tous les jours
matin
1 tablette multivitaminée avec complexe de sels minéraux, 1 dose de substances vitales
soir
1 dose de substances vitales

Dose de maintien:
matin
1 tablette multivitaminée avec complexe de sels minéraux, 1 dose de substances vitales

Propositions pour l'apport de substances individuelles

Si vous avez l'impression que vous ne manquez que d'une substance spécifique, il est important de compléter la dose de substance spécifique par une préparation multivitaminée aux sels minéraux. Ceci pour éviter la perturbation de l'équilibre du métabolisme. Comment être sûr qu'une substance vitale spécifique nous manque ou que l'on en a un besoin accru? Il faut que l'on puisse confirmer clairement la présence de cinq signes de carences pour la substance en question.

Manque de potassium

En cas d'usage régulier de laxatifs et/ou de diurétiques:
tous les jours: 1 tablette multivitaminée avec complexe de sels minéraux, 1 dose d'une préparation isotonique.

Manque de calcium

Symptômes de la tabelle des carences
tous les jours: 1 tablette multivitaminée avec complexe de sels minéraux, 1 à 2 doses d'une préparation de calcium.

Manque de magnésium

En cas de troubles nerveux et de la concentration
1 tablette multivitaminée avec complexe de sels minéraux
2 x 1 tablette de magnésium (à 100 mg Mg++)
2 x 1 dose à 20 mg de vitamine B_6

En cas de crampes musculaires
tous les jours: 1 tablette multivitaminée avec complexe de sels minéraux
2 x 1 dose de magnésium (à 20 mg Mg++)

Manque de zinc

Pour couvrir un besoin spécifique, p. ex. en cas de taches blanches sur les ongles
tous les jours: 1 tablette multivitaminée avec complexe de sels minéraux
2 x 1 tablette aux vitamines A, C, E, combinées avec zinc et sélénium.

Manque de sélénium

Pour couvrir les carences, causées par exemple par un plombage en amalgame, prendre
tous les jours: 1 tablette mutivitaminée avec complexe de sels minéraux
1 tablette aux vitamines A, C, E, combinées avec zinc et sélénium.

Programmes de substances vitales pour des problèmes spécifiques

Prévenir le vieillissement (y compris les rides)

tous les jours: 1 tablette multivitaminée avec complexe de sels minéraux
1 tablette/capsule de vitamine E
2 x 1 dose de vitamine C (à 500 mg)
L'effet se fait sentir après 3 à 4 mois.

Pour fumeurs et en cas d'absorption de pilules contraceptives

matin
1 tablette multivitaminée avec complexe de sels minéraux
1 tablette aux vitamines A, C, E, combinées avec zinc et sélénium

soir
1 dose de vitamine C (à 500 mg)

En cas de blessures/ douleurs dues au sport

En complément d'un médicament anti-inflammatoire en usage interne:
1 tablette multivitaminée avec complexe de sels minéraux
1 à 2 doses d'une préparation alcaline
1 x 1 dose de vitamine C (à 500 mg)
1 dose de vitamine E

Grossesse

Avec cette proposition, les femmes enceintes sont approvisionnées de manière optimale en substances vitales, en particulier en vitamines B et en acide folique.

matin:
1 tablette multivitaminée avec complexe de sels minéraux
1 dose de magnésium (à 20 mg Mg++)
1 tablette/capsule de vitamine E 400 mg (très importante pour prévenir les vergetures)
1 dose d'une préparation alcaline

soir:
2 doses d'une préparation alcaline

Dès le 6e mois de la grossesse, les éléments magnésium, calcium, fer et zinc, doivent être contrôlés.

Durant la grossesse, les signes de carences suivants sont fréquents:
Crampes sauvages = manque de magnésium; augmenter le dosage du magnésium.
Dos ankylosé, jambes douloureuses, agitées = manque de calcium; augmenter l'apport en calcium.
Peau sèche, à tendance eczémateuse = manque en acides gras essentiels; compléter avec de l'huile de lin.

Durée du traitement:
L'absorption des substances vitales (magnésium, calcium, fer et zinc inclus) est recommandée durant la période de l'allaitement aussi.

Réactions possibles:
Aucune réaction particulière connue.

Troubles hormonaux

Manque d'œstrogènes
psychique: dépressive, pleure pour un rien, tout paraît tragique

Physique: peau et muqueuses sèches, variations de la pression artérielle, le poids corporel augmente, douleurs dans les aisselles, l'ovulation est perçue, douleurs menstruelles, bouffées de chaleur, troubles du sommeil continu, maux de tête

Manque de progestérone:
psychique: agressive, irritée,
physique: le poids corporel augmente avant la menstruation, seins douloureux, douleurs menstruelles, états d'épuisement, bouffées de chaleur, maux de tête.

Alimentation
Veiller à consommer suffisamment de protéines et d'acides gras essentiels. Le mélange suivant d'huiles pressées à froid est une combinaison idéale qui approvisionne votre organisme avec tous les acides gras essentiels.
1 partie d'huile de lin
1 partie d'huile d'olive vierge extra
1 partie d'huile de carthame

Substances vitales
En cas de manque d'œstrogènes, tous les jours: 2 x 1 tablette multivitaminée avec complexe de sels minéraux, 2 x 1 tablette/capsule de vitamine E 400 mg, 2 x 1 tablette aux vitamines A, C, E, combinées avec zinc et sélénium, 3 x 1 cuillerée de mélange d'huiles (page 22), 3 x 20 gouttes de TM de Cimicifuga (actée à grappes, serpentaire)., En cas de manque de progestérone, tous les jours: 2 x 1 tablette multivitaminée avec complexe de sels minéraux, 1 x 1 tablette/capsule de vitamine E 400 mg, 2 x 1 tablette aux vitamines A, C, E,

combinées avec zinc et sélénium, 1 x 40 gouttes TM Agnus castus (gattilier), le matin à jeun, 3 x 2 capsules d'huile de bourrache ou d'onagre à 500 mg.

Durée du traitement:
Jusqu'à ce que vous vous sentez bien. Au moindre signe d'un trouble hormonal, répéter le traitement.

Réactions possibles:
L'équilibre entre œstrogènes et progestérone ne s'établit pas. Combiner les deux traitements pour soutenir les deux fonctions.

Désir d'enfants

Ce programme convient aux femmes organiquement saines. Avec ce programme spécifique aux substances vitales, on favorise surtout le développement de la muqueuse de l'utérus, afin que la nidation puisse se faire parfaitement. Afin de bien adapter le traitement, il convient d'analyser si des troubles hormonaux sont existants.

Alimentation
Les corps gras végétaux manquent souvent dans l'alimentation. Le mélange suivant d'huiles pressées à froid est une combinaison idéale qui approvisionne votre organisme avec tous les acides gras essentiels.
1 partie d'huile de lin
1 partie d'huile d'olive vierge extra
1 partie d'huile de carthame

Substances vitales
1 x 1 tablette multivitaminée avec complexe de sels minéraux
1 x 1 dose de magnésium (à 20 mg Mg++)
2 x 1 tablette/capsule de vitamine E 400 mg
3 x 1 cuillerée de mélange d'huiles (page 22)

Complément
Selon le manque en progestérone [1] ou en œstrogènes [2] ajouter chaque jour: 3 x 20 gouttes TM Cimicifuga (actée à grappes, serpentaire) [1], 1 x 40 gouttes TM Agnus castus (gattilier) [2]

Durée du traitement
Jusqu'au moment où la grossesse est constatée.

Réactions possibles:
Aucune réaction particulière connue.

Préparation à une opération

La combinaison proposée en substances vitales favorise une meilleure guérison et améliore la cicatrisation. La vitamine A aide à mieux supporter la narcose.

Substances vitales
2 mois avant l'opération ou dès que l'on en a connaissance, prendre chaque jour 1 à 2 x 1 tablettes multivitaminée avec complexe de sels minéraux, 1 à 2 x 1 tablette/capsule de vitamine E 400 mg, 2 x 1 tablette aux vitamines A, C, E, combinées avec zinc et sélénium, 2 x 1 tablette de vitamine C

En cas de narcose totale, compléter dès la troisième semaine avant l'opération chaque jour avec
2 x 1 tablette/capsule de vitamine A (50'000 U.I.)

Durée du traitement
Jusqu'à ce que la cicatrice soit bien guérie. Si la cicatrice s'enflamme, continuer avec 2 x 1 tablette/capsule de vitamine A.

Réactions possibles:
Aucune réaction particulière connue.

Métabolisme acido-basique

Symptômes
En général, on est fatigué, on manque d'entrain, on a des problèmes d'embonpoint et on paraît gonflé et spongieux. La peau est rougie, des pustules non purulentes ou un "papillon" rouge sur le nez et les joues apparaissent; Les mains ont des contours rouges, des nuages blanchâtres et les ongles sont cassants.

Incompatibilité
On ne supporte pas les mets acides qui provoquent ballonnements, maux de ventre et dans la région du la bile. Les douceurs provoquent des éruptions cutanées avec de grosses pustules.

L'activité sportive
est caractérisée par une mauvaise endurance, des phases de récupération prolongées, des courbatures fréquentes, des douleurs musculaires diffuses et une augmentation de poids corporel malgré un bon entraînement.

Les cheveux
sont "électriques" et difficiles à coiffer.

Alimentation
Veiller à ce que l'alimentation se compose de 80 % d'aliments produisant une réaction alcaline ou neutre, 20% d'aliments produisant une réaction acide.

Substances vitales
2 x 1 tablette multivitaminée avec complexe de sels minéraux, 3 x 1 à 2 doses d'une préparation alcaline (contrôler le pH de l'urine).

Durée du traitement
Jusqu'à ce que l'organisme soit parvenu à éliminer les excédents d'acidité dans les tissus, c'est-à-dire jusqu'à ce que les symptômes aient disparu.

Yeux fatigués, irrités

Symptômes
De nos jours, nous travaillons de plus en plus sur ordinateur et l'écran de télévision n'améliore pas la situation. Les yeux sont mis à forte épreuve, ce qui provoque des yeux brûlants, douloureux et une diminution progressive du pouvoir visuel. Un apport supplémentaire en vitamine A, B_2 et en zinc sont nécessaires.

Substances vitales
Le matin, avant le travail: 1 tablette multivitaminée avec complexe de sels minéraux, 2 tablettes aux vitamines A, C, E, combinées avec zinc et sélénium, 1 dose de vitamine B_2 à 20 mg

Durée du traitement
Afin de réparer d'éventuelles lésions déjà existantes et pour compléter les dépôts, suivre ce traitement tous les jours durant 2 mois. Ensuite, continuer avec un traitement de maintien en absorbant les mêmes doses les jours ouvrables seulement.

Réactions possibles:
Aucune réaction particulière connue.

Rhume des foins (pollinose, coryza spasmodique périodique)

Symptômes
Le rhume des foins ou les manifestations similaires peuvent avoir plusieurs causes.
- Réaction immunitaire (réaction allergique aux divers pollens, à des animaux, acariens ou à la poussière de maison)
- Muqueuses sèches qui développent une sensibilité à l'air sec.

Substances vitales
Un traitement préventif contre les différentes causes se présente comme suit.

Réactions immunitaires:
2 x 1 tablette multivitaminée avec complexe de sels minéraux, 2 x 1 dose de vitamine C (à 500 mg), 1 tablette/capsule de vitamine E 400 mg, 2 x 1 tablette de magnésium (à 100 mg Mg++), 2 x 1 dose à 20 mg de vitamine B6, 3 x 1 à 2 doses d'une préparation alcaline (contrôler le pH de l'urine)

Muqueuses sèches
2 x 1 tablette multivitaminée avec complexe de sels minéraux, 3 x 1 tablette aux vitamines A, C, E, combinées avec zinc et sélénium, 3 x 1 cuillerée de mélange d'huiles (page 22), contrôler l'équilibre acido-basique (pH de l'urine)

Important
Si le rhume des foins apparaît malgré les mesures préventives, il peut être atténué avec 2 x 1 dose de calcium par jour (imperméabilisation des membranes cellulaires).

Durée du traitement
Réactions immunitaires: débuter en automne et continuer durant la saison des pollens. Muqueuses sèches: dès que les troubles disparaissent, on peut réduire l'apport en substances vitales. On continuera avec une dose de maintien comportant la moitié de la dose indiquée ci-dessus.

Adolescence

Symptômes
Les pustules au visage laissant des traces foncées après la cicatrisation gênent surtout les adolescents.

Alimentation
Pas de mesures particulières.

Recommandation
Une hygiène parfaite de la peau atteinte est recommandée. Bien purifier le visage avec les produits adéquats. Recouvrir l'oreiller d'un linge résistant à la cuisson et le changer tous les jours.

Substances vitales
1 à 2 x 1 tablette multivitaminée avec complexe de sels minéraux, 1 à 2 x 1 dose de magnésium (à 20 mg Mg++), 1 tablette/capsule de vitamine E 400 mg, 1 x 1 à 2 dragée de chardon Marie (ou 40 gouttes de TM de Carduus marianus), 3 x 1 à 2 doses d'une préparation alcaline (contrôler le pH de l'urine), 2 x 1 tablette aux vitamines A, C et E

Durée du traitement
Dès que l'état de la peau s'est amélioré, l'absorption de substances vitales peut être réduite de moitié.

Réactions possibles:
Aucune réaction particulière connue.

Taches hépatiques

Symptômes
Taches brunes au visage et sur le dos des mains, plus ou moins grandes, et ne présentant pas d'autre modification de la peau. Elles vont souvent de pair avec des troubles hépatiques et des perturbations du métabolisme des graisses.

Alimentation
Prudence avec les graisses chauffées (friture, beurre brun ou noir, sauces à la crème, etc.), ainsi qu'avec la viande et les poissons fumés.

Substances vitales
1 tablette multivitaminée avec complexe de sels minéraux, 1 tablette/capsule de vitamine E 400 mg, 3 x 1 à 2 doses d'une préparation alcaline (contrôler le pH de l'urine), 2 x 1 tablette aux vitamines A, C, E, combinées avec zinc et sélénium, gouttes pour le foie et la bile à base de teintures-mère (TM); s'il n'y a pas d'amélioration, ajouter 3 x 20 gouttes de TM de Carduus marianus (chardon Marie). Dés que le traitement a atteint son objectif, appliquer le traitement suivant: 1 tablette multivitaminée avec complexe de sels minéraux, 1 tablette/capsule de vitamine E 400 mg, 1 tablette aux vitamines A, C, E, combinées avec zinc et sélénium.

Durée du traitement
Alimentation: toujours contrôler la consommation des graisses chauffées.
Substances vitales: continuer le traitement d'entretien suivant:
1 tablette multivitaminée avec complexe de sels minéraux, 1 tablette/capsule de vitamine E 400 mg, 1 tablette aux vitamines A, C, E, combinées avec zinc et sélénium.

Peau sèche

Symptômes
Le meilleur endroit pour constater si la peau est sèche se situe sur le tibia, où elle est généralement la plus sèche. La peau est généralement fine, mince, tend à former des rides; sensation de tension dans la peau.

Alimentation
Les graisses végétales font souvent défaut dans l'alimentation. Le mélange suivant d'huiles pressées à froid est une combinaison idéale qui approvisionne votre organisme en acides gras essentiels.
1 partie d'huile de lin
1 partie d'huile d'olive vierge extra
1 partie d'huile de carthame

Substances vitales
2 x 1 tablette multivitaminée avec complexe de sels minéraux
2 x 1 dose de magnésium (à 20 mg Mg++)
3 x 1 cuillerée de mélange d'huiles (page 22)
1 tablette/capsule de vitamine E 400 mg
3 x 20 gouttes de TM Taraxacum (pissenlit) pour stimuler le pancréas
3 x 30 gouttes de TM Curcuma et de Chelidonium à part égales (curcuma et chélidoine) pour stimuler la production de bile.

Si l'adjonction de vitamines liposolubles provoque des selles nageant à la surface de l'eau, il faut compléter le traitement par une préparation de ferments digestifs.

Durée du traitement
Dès que la peau sèche sur le tibia s'est normalisée, l'apport en substances vitales peut être réduit. Les personnes ayant une tendance à avoir la peau sèche devront pourtant toujours entreprendre des mesures particulières pour la soigner.

Peau grasse

Symptômes
La peau a tendance à ce couvrir d'impuretés, de pustules, son aspect est luisant.

Les causes peuvent être
un dérangement des fonctions hépatiques, caractérisé par une partie médiane grasse du visage, brillante et à pores dilatés. Les personnes ont peu d'entrain, sortent péniblement de leur lit le matin et somnolent après les repas.
Si la peau grasse est provoquée par un dérangement hormonal, il en résulte les signes caractéristiques suivants: menton gras, jambes douloureuses, troubles menstruels, attitude agressive, irritabilité dépressive.

Alimentation
Etre vigilant au niveau de la consommation des graisses. S'abstenir de consommer des produits frits et des sauces à la crème.

Substances vitales
2 x 1 tablette multivitaminée avec complexe de sels minéraux, 3 x 1 tablette aux vitamines A, C, E, combinées avec zinc et sélénium
1 tablette/capsule de vitamine E 400 mg
3 x 1 à 2 tablette de chardon Marie (ou 3 x 20 gouttes de TM Carduus marianus).

Durée du traitement
Afin de faire disparaître les signes de dysfonctionnement, poursuivre le traitement durant 6 mois. En cas de troubles des fonctions hépatiques ou hormonales, entreprendre un traitement qui dure entre 3 et 12 mois. Par la suite, 2 répétitions par année.

Eczémas à la paume des mains et la plante des pieds

Symptômes
La paume des mains et la plante des pieds présentent une peau cassante, crevassée, dure, qui se fend et saigne. Les troubles fonctionnels du foie qui en sont la cause sont accompagnés de fatigue, de manque d'entrain, d'un réveil difficile et de somnolence après un repas.

Alimentation
Etre vigilant avec sa consommation des graisses. S'abstenir de consommer des produits frits et des sauces à la crème.

Substances vitales
1 tablette multivitaminée avec complexe de sels minéraux, 1 dose de magnésium (à 20 mg Mg++), 1 tablette/capsule de vitamine E 400 mg, 3 x 1 à 2 tablettes de chardon Marie (ou 3 x 20 gouttes de TM Carduus marianus)
3 x 20 gouttes de TM Taraxacum (pissenlit)
Dès que l'eczéma passe en phase éruptive, doubler le dosage de chardon Marie.

Durée du traitement
Selon l'intensité de l'eczéma, 1 à 2 années. Arrêter uniquement si la peau n'est plus rêche et cassante durant 3 mois consécutifs.

Réactions possibles:
Aucune réaction particulière connue.

Régénération de la peau

Symptômes
Progressivement, la peau peut devenir mince et soudain, de légères égratignures produisent des blessures. La peau forme très tôt et rapidement des rides, est sensible à la pression et a tendance à former des hématomes sous la surface.

Alimentation
Veiller à consommer un maximum d'aliments frais, légumes et fruits. Les consommer plutôt cuits à la vapeur que crus, car les personnes souffrant d'une peau très délicate présentent souvent des problèmes de résorption.
La consommation de protéines digestes (yoghourt à la place de lait, poisson et volaille à la place de viandes rouges) est favorable.

Substances vitales
2 x 1 tablette multivitaminée avec complexe de sels minéraux
2 x 1 dose de magnésium (à 20 mg Mg++)
3 x 1 tablette aux vitamines A, C, E, combinées avec zinc et sélénium
3 x 1 cuillerée de mélange d'huiles (page 22)
3 x 2 doses d'une préparation alcaline (contrôler le pH de l'urine)

Durée du traitement
La régénération et la stimulation de la production de nouvelles cellules prend environ 3 mois. Une nette amélioration de la peau est visible après 6 mois de traitement.

Réactions possibles:
Malaises au début, en cas de problèmes de résorption.

En cas de peau irritée et rouge:

2 x 1 tablette multivitaminée avec complexe de sels minéraux, 3 x 1 doses d'une préparation alcaline (contrôler le pH de l'urine)

Nausées à la suite de l'absorption de vitamines et de sels minéraux

Un manque de suc gastrique est possible. Dans ce cas, on absorbera les vitamines avec un peu d'eau tiède, à laquelle on aura ajouté un peu de jus de citron. Si les symptômes ne disparaissent pas, compléter le traitement avec une préparation contenant des ferments gastriques et de l'acide digestif.
Les vitamines devraient toujours être absorbées en même temps que les repas. Prises à jeun, elles peuvent causer des troubles digestifs.
Si les vitamines sont absorbées avec une trop faible quantité de liquide, elles causeront des problèmes digestifs. Il est conseillé de prendre au moins 2 dl de liquide avec les vitamines.

Augmentation du poids corporel

Le système des enzymes du foie est perturbé. Un poids supplémentaire de 2 kg environ reste jusqu'au moment où le foie a reconstitué le système enzymatique à l'aide des substances vitales.
Au début d'un traitement aux substances vitales, le métabolisme travaille de manière plus intense et nécessite davantage d'eau. Ce liquide corporel supplémentaire se lit sur la balance. Il disparaît dès que le métabolisme s'est normalisé.

Annexes

Tabelle de conversion des vitamines

de U.I. en mg

Vitamine A / β-carotène

1 µg rétinol / vitamine A
= 3,33 U.I. rétinol /vitamine A
1 µg β-carotène
= 1667 U.I. rétinol / vitamine A

Vitamine C

50 µg acide L-(+) ascorbique
= 1,00 U.I. vitamine C

Vitamine D_3

10 µg cholécalciférol /vitamine D
= 400 U.I. vitamine D

Vitamine E (USP = U.I.)

vitamine E naturelle
1 mg D-α-tocophérol
= équivalent de D-α-tocophérol
= 1,49 unités USP

1 mg D-α-acétate de tocophérol
= 0,91 équivalent de D-α- tocophérol
= 1,36 unités USP

1 mg D-α-succinate de tocophérol
= 0,67 équivalent de D-α-tocophérol
= 1,21 unités USP

vitamine E synthétique
1 mg DL-α-tocophérol
= 0,74 équivalent de D-α tocophérol
= 1,10 unités USP

1 mg DL-α-acétate de tocophérol
= 0,67 équivalent de D-α-tocophérol
= 1,00 unités USP

1 mg DL-α-succinate de tocophérol
= 0,6 équivalent de D-α-tocophérol
= 0,9 unités USP

Unités de mesure et leurs abréviations

g	gramme
mg	milligramme (0,001 g)
µg	microgramme (0,001 mg)
ng	nanogramme (0,001 µg)
pg	picogramme (0,001 ng)
l	litre
dl	décilitre (0,1 Liter)
ml	millilitre (0,001 Liter)
µl	microlitre (0,001 ml)
U	Units (unités, mesure pour l'activité enzymatique)
mol	mole (unité de mesure pour les quantités de substances
mmol	millimole (0,001 Mol)
µmol	micromole (0,001 mmol)

Protéines

protéines incomplètes	quantité	teneur en protéines
légumineuses	100 g	env. 20 g
céréales	100 g	env. 10 g
noix	100 g	env. 20 g
pommes de terre	100 g	env. 2 g

bonnes possibilités de combinaison	valeur biologique	proportions
œuf + pommes de terre	136	30 : 70
lait + pommes de terre	134	36 : 64
œuf + maïs	114	88 : 12
œuf + lait	122	76 : 24
lait + blé	110	75 : 25
œuf + riz	106	88 : 12
légumineuses + maïs	100	52 : 48

en comparaison	valeur biologique	
viande de bœuf	92	
œuf	100	
lait	90	

Bänziger: Maigrir et guérir par l'équilibre acido-basique et l'alimentation dissociée, VIRIDIS
Bässler/Grühn/Loew/Pietrzik:Vitamin-Lexikon, G. Fischer
Bayer/Schmidt: Vitamine, Hippokrates
Binet: Vitamines et vitaminothérapie, Dangles
Bliznakoy/Hunt: Die Entdeckung - Energie-Vitamin Q10
Brauner/Ladefoged: Krankmachende Schwermetalle, Ariston
Cameron/Pauling: Cancer and Vitamin C, Warner Books
Cremer/Hötzel: Ernährungslehre und Diätetik, Thieme Verlag
Deuille/Deuille: Les oligo-éléments catalyseurs de notre santé, Crao
Dorosz: Vitamines, sels minéraux, oligo-éléments, Maloine
Fasching: Le champignon de longue vie Combucha
Friedrich: Handbuch der Vitamine, Urban & Schwarzenberg
Glatzel: Wege und Irrwege moderner Ernährung, Hippokrates
Glenk: Neue Enzyme, Heyne
Isler/Brubacher/Ghisla/ Kräutler: Vitamin 11, Thieme Verlag
Le Moël/Saverot-Dauvergne/Gousson/Guénat: Le statut vitaminique, Ed. médicales internationales
McLaren: A Colour Atlas of Nutritional Disorders
Nordin: Calcium in Human Biology, Springer-Verlag
Roe: Nutrition and the Skin, A.R. Liss, Inc.
Rueff: La Bible des vitamines et des compléments nutritionnels, Albin Michel
Runow: Klinische Ökologie, Hippokrates
Saal: La force douce des oligo-éléments, Laffont
Saner: Current Topic and Disease Volume 2, Chromium, A.R. Liss, Inc.
Seger/Sachse: Krebsverhütung, Verlag Mehr Wissen
Vasey: L'équilibre acido-basique , Jouvence

Index

En Suisse, les préparations *allsan* sont distribuées par Biomed AG à Dübendorf. Biomed AG ne prend aucune responsabilité quant aux indications mentionnées dans ce livre.

Substances vitales *allsan* pou

De nombreuses maladies peuvent être évitées ou traitées à l'aide des substances vitales que contiennent nos aliments: vitamines, sels minéraux, oligo-éléments, acides gras et acides aminés et principes actifs d'origine végétale. La thérapie allsan repose sur le principe que chaque personne possède un métabolisme individuel. Celui-ci dépend du style de vie, des habitudes alimentaires, de la charge de travail et de l'âge de la personne considérée. Si l'on opte pour un apport supplémentaire en éléments vitaux, il importe de prendre ces différents points en considération et d'adapter les dosages en conséquence.

La thérapie *allsan* prend en compte la diversité des besoins et met à la disposition des consommateurs une large palette de produits. Les besoins personnels de chacun peuvent ainsi être couverts de façon optimale.

Demandez conseil à votre détaillant *allsan* qui vous répondra volontiers.

Les produits *allsan* sont disponibles en Suisse dans les pharmacies et drogueries.

***ACE avec zinc et sélénium** – cette combinaison cytoprotectrice protège des influences environnementales comme p.ex. le smog estival et renforce les défenses endogènes.*

*Les **sels minéraux basiques** rétablissent votre équilibre acido-basique et protègent l'organisme des maladies chroniques.*

*Les **dragées multivitaminées aux sels minéraux** sont efficaces dans toutes les affections aiguës ou chroniques, les états d'épuisement et lors d'alimentation déséquilibrée.*

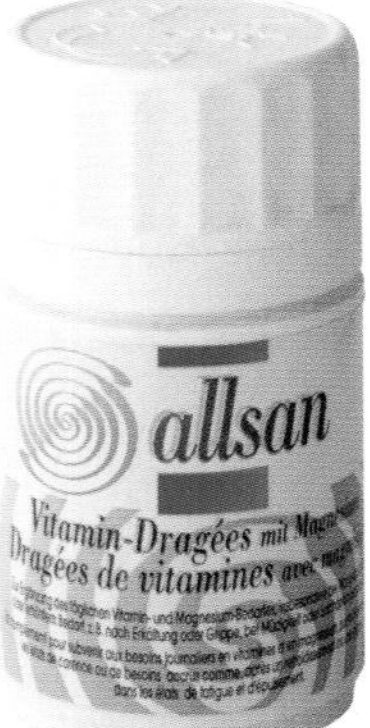

*Pour stimuler le sytème enzymatiqu et lors de fatigue printanière : les **dr gées vitaminées au magnésium.** conviennent particulièrement aux personnes dotées d'un systèm digestif délicat.*